HAPPY
READING

浦漫汀 曹文轩 · 主编

yi qian ling yi ye

一千零一夜

北京燕山出版社

图书在版编目（CIP）数据

一千零一夜 / 浦漫汀，曹文轩主编.
-- 北京 ： 北京燕山出版社，2010.9（小学语文分级阅读丛书）

ISBN 978-7-5402-2427-1

Ⅰ．①一… Ⅱ．①浦… ②曹… Ⅲ．①民间故事一作品集
一阿拉伯半岛地区一缩写本 Ⅳ．①I371.73

中国版本图书馆CIP数据核字(2010)第172530号

一千零一夜

主　　编	浦漫汀　曹文轩	
改　　编	邵滨	
责任编辑	张红梅　李满意	
装帧设计	小　贾	
插　　图	文鲁工作室	
出版发行	北京燕山出版社	
	北京市宣武区陶然亭路53号　　邮编　100054	
经　　销	新华书店	
印　　刷	北京中科印刷有限公司	
开　　本	720×880	
印　　张	10	
字　　数	60千字	
版次印次	2010年10月第1版　2010年10月第1次印刷	
定　　价	15.00	

Contents

　　《一千零一夜》以其丰富的想象力、真挚动人的情感、自由的表达方式和通俗的语言特点，以及引人入胜的奇思妙想，成为世界浪漫主义文学浪潮的主要源泉。是少年儿童不可多得的、百读不厌的世界名著。

渔夫和魔鬼

所罗门的瓶子

很久以前，有个渔夫，每天靠打鱼维持生活。家里很贫穷，生活困难。但他每天只打四网鱼，从来也不肯多打一网。

有一天中午，渔夫又来到海边撒网，但是第一网，他什么都没有打到。

看着空空的渔网，他叹道："真是奇怪，怎么会什么都没有呢？"于是他自言自语说："再打一网吧。也许下一网会

001

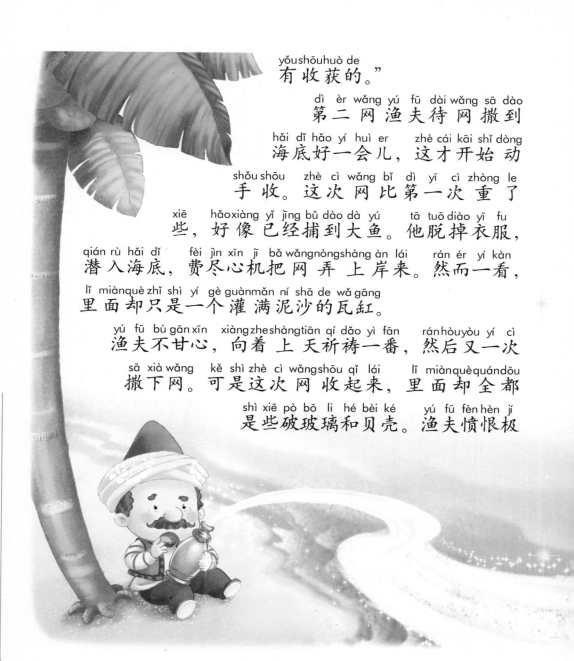

yǒu shōu huò de
有收获的。"

dì èr wǎng yú fū dài wǎng sā dào
第二网渔夫待网撒到

hǎi dǐ hǎo yí huì er zhè cái kāi shǐ dòng
海底好一会儿，这才开始动

shǒu shōu zhè cì wǎng bǐ dì yī cì zhòng le
手收。这次网比第一次重了

xiē hǎoxiàng yǐ jīng bǔ dào dà yú tā tuō diào yī fu
些，好像已经捕到大鱼。他脱掉衣服，

qián rù hǎi dǐ fèi jìn xīn jǐ bǎ wǎng nòng shàng àn lái rán ér yí kàn
潜入海底，费尽心机把网弄上岸来。然而一看，

lǐ miàn què zhǐ shì yí gè guàn mǎn ní shā de wǎ gāng
里面却只是一个灌满泥沙的瓦缸。

yú fū bù gān xīn xiàng zhe shàng tiān qí dǎo yì fān rán hòu yòu yí cì
渔夫不甘心，向着上天祈祷一番，然后又一次

sā xià wǎng kě shì zhè cì wǎng shōu qǐ lái lǐ miàn què quán dōu
撒下网。可是这次网收起来，里面却全都

shì xiē pò bō li hé bèi ké yú fū fèn hèn jí
是些破玻璃和贝壳。渔夫愤恨极

了！他抬头望着天空，说道："神啊！我每天只打四网鱼，您是知道的。今天我已打过三网了，可仍然没有打到一尾鱼。神啊！求您保佑保佑我吧，这可是我最后一网了。"

他一边祈求着神保佑，一边把网撒入海中。过了好久，他才动手收网，出人意料的是网重得拉不动，好像和海底连在一块儿似的。渔夫脱下衣服，潜到水里，终于把网从海底弄出来。打开一看，这回里面是个胆形的 黄铜瓶。瓶口用锡封住，锡上印着古时候著名的国 王所罗门的印章。

望着胆瓶，渔夫喜笑颜开地说道："这个瓶儿准 能卖十个金币。"

他抱着胆瓶摇了一摇，里面似乎装满了东西。他 抽出身上的小刀，慢慢剥去瓶口的锡，然后把瓶子倒 过来，握着瓶颈摇了几摇。但什么东西都没有，渔翁 感到非常奇怪。

不一会儿，瓶中冒出一股青烟，飘飘荡荡地升 到空中，最后凝聚成一个魔鬼。他凶狠地站在渔夫 面前：堡垒似的头颅，铁叉似的手臂，桅杆似的 双 腿，山洞似的大嘴，石头似的牙齿，喇叭似的鼻孔，灯 笼似的眼睛。

渔夫被这个魔鬼的模样吓得浑身发抖。一会儿， 他听见魔鬼说道:"所罗门王呀!您是世界的主宰,我再也不敢违背您的旨令了。饶恕我吧!"

听了魔鬼的话,渔夫笑道:"所罗门王已经过世一千八百年了。你这奇形的魔鬼怎么会钻在瓶里呢?告诉我吧。"

听了渔夫的话,魔鬼喜出望外,冲着渔夫恶狠狠地说:"渔夫,我马上要狠狠地杀死你。"渔夫惊讶地说:"我把你从海里打捞上来,把你从胆瓶中放出来,救了你一命,你为什么要杀我?"

"我到底犯了什么罪,你要这样对待我呢?"渔夫愤怒地质问魔鬼。

"渔夫,你听了我的故事,就会明白了。"

魔鬼的故事

"渔夫,你要知道,我本是一个邪恶的天神,无恶不作,曾与所罗门王作对。他于是派宰相把我捉了去。

他用这个胆瓶把我囚禁起来，用锡封了口，并且盖上印，然后把我投进海里。我在海中沉闷地度日。在第一个世纪的时候，我心想：'谁要是在这一百年里来解救我，我就报答他，用我的能力使他终身荣华富贵。'可是一百年过去了，没有人来救我；到了第二个世纪，我心想：'谁要是在这一百年里解救了我，我会用我的能力，替他开发地下的宝藏。'可仍然没有人来救我；到了第三个世纪，我心想：'谁要是在这一百年里解救了我，我会报答他，满足他的三个愿望。'但是，整整过了四百年，始终没有人来救我。这时候我非常生气，便向天发誓：'谁要是以后再来解救我，我就要杀死他，不过我可以让他选择死法。'而你却正是在这以后救了我，因此我要杀死你。"

"啊！天啊！我怎么会在这个日子来解救你呀！请你饶恕我吧。

你不杀我，万能之神会饶恕你。他会帮助你战胜你的仇人呢！"

"我非杀你不可！告诉我吧，你希望怎么死？"

渔夫绝望之余，心想：他不过是个魔鬼，而我是堂堂的人类。我应该用计谋对付他呀！于是他想了一想，对魔鬼说："你真的一定要杀我吗？"

"不错。"

"我以神的名义求你，我来问你一件事，你必须说实话。"

魔鬼一听以神的名义，就说道："好的，你问吧，说简单些。"

"当初你是住在这个胆瓶里的，这真是奇怪极了。这个胆瓶，按理说它连你的一只手也容纳不了，更容纳不了你的一条腿，它是怎样容纳你这样庞大的身体的呢？"

"你不相信当初我就在这个瓶子里吗？"

"我没有亲眼看见，绝对难以相信。"

这时候魔鬼就得意起来，他摇身变为青烟，逐渐缩成一缕，慢慢地钻进了胆瓶。渔夫等到青烟全都进入瓶中，就迅速拾起盖着印的锡封，塞住瓶口，然后大声说："告诉你吧，魔鬼，现在我决心把你扔到海里，并且要盖间房子，在这里住下，从此不让人们在这块海面打鱼。我要告诉人们，这里有个魔鬼，谁把他从海里打捞出来，就必须自己选择死亡的方法。"

魔鬼再次被封印在了瓶中，无法再回到外面来，这才知道自己上了渔夫的当。他惶恐地哀求渔夫说："老人家，我是跟您开玩笑的。"

"下流无耻的魔鬼，你的谎言真是可笑。"渔夫把胆瓶拿到岸边，准备扔到海里去。"不，在您的面前我怎么敢说谎呢？"魔鬼尽量表示谦和，说好话，继而问道:"老人家,您打算怎么处置我呢?"

"我要把你扔到海里。如果说你在海里才住了一千八百年,那么这回你会住到世界末日的。"

"饶了我吧,让我好好儿地报答您。"

"你别说了,我一定要把你投入海里,让你永远没有出头之日。"

"老人家,放我出来吧。我向您赌咒,今后我绝不危害你,而且还要给您一样东西,它能使您发财致富。"

渔夫终于被魔鬼说动，接受了魔鬼的要求，他们约定：渔夫释放了魔鬼，魔鬼绝不可伤害渔夫，而且还要以他的能力报答渔夫。渔夫打开瓶口，那一股青烟又从瓶中冒了出来，飘飘荡荡地升到空中，逐渐汇集起来，变成那个丑陋的魔鬼。魔鬼一脱离胆瓶，立即一脚把胆瓶踢到了海中。

渔夫见魔鬼把胆瓶踢到海中，大吃一惊，以为这回自己非受害不可了，但是让人意外的是，魔鬼这回没有伤害他，反而对他说："渔夫，你跟我来吧。"

四色鱼

渔夫胆战心惊地跟着魔鬼来到一处宽阔的山谷，谷底有一个清澈的湖泊。渔夫跟着魔鬼一起来到湖边。

魔鬼吩咐他撒网打鱼。渔夫往湖里一看，只见湖底游着白、红、蓝、黄四色鱼儿。他异常惊讶，于是把网撒在湖中，一网下来，打了四尾鱼，正好每种颜色

de yú gè yì wěi
的鱼各一尾。

yú fū kàn
渔夫看
zhe wǎng zhōng de yú
着网中的鱼，
gǎndào shí fēn gāoxìng
感到十分高兴。

mó guǐ duì tā shuō yú fū nǐ huí qù de shí
魔鬼对他说："渔夫，你回去的时
hou bǎ yú sòngdàogōngzhōng xiàn gěi guówáng tā huì shǐ
候，把鱼送到宫中，献给国王，他会使
nǐ fā cái zhì fù de jīn hòu nǐ měitiān zhǐ néng lái hú zhōng dǎ
你发财致富的。今后你每天只能来湖中打
yì wǎng yú gěi guówáng bú yào tān xīn
一网鱼给国王，不要贪心。"

mó guǐ shuō bà yí dùn zú dì miàn liè kāi tā biànxiàn jìn qù bú jiàn le
魔鬼说罢，一顿足，地面裂开，他便陷进去不见了。

yú fū dài zhe sì wěi yú huí chéng àn zhào mó guǐ de fēn fù tā bǎ yú dài
渔夫带着四尾鱼回城。按照魔鬼的吩咐，他把鱼带
jìn wáng gōng xiàn gěi le guówáng guówáng kàn le yú fū jìn xiàn de sì sè yú
进王宫，献给了国王。国王看了渔夫进献的四色鱼，
fēi cháng jīng qí zhè shì tā píngshēng tóu yí cì kàn jiàn zhè
非常惊奇。这是他平生头一次看见这
zhǒng yú tā fēn fù zǎi xiàng bǎ zhè
种鱼。他吩咐宰相："把这
jǐ wěi yú jiāo gěi xīn lái de nǚ
几尾鱼交给新来的女
chú zi zuò ba zhènghǎo shì
厨子做吧，正好试

一试她的手艺。"

国王赏给渔夫四十个金币。渔夫领到赏钱，非常高兴。宫中的那个女厨子按国王的旨意，动手将鱼剖洗干净，然后把鱼放入锅中去煎。煎完了一面。这时，厨房的墙壁突然裂开一道口子，走出来一位女郎。女郎身披一条蓝色的围巾，戴着漂亮的耳环，臂上戴着手镯，指上戴着宝石戒指，手中握着一根藤杖。

女郎一下子把藤杖戳入煎锅，说道："鱼啊！还记得过去的

约定吗？"这时，煎锅中的鱼儿突然一齐抬起头来，清楚响亮地回答道："是的，是的。"女厨子被这种情景吓得昏了过去。女郎用藤杖一下子掀翻煎锅，又从墙缝走回原来的地方，接着厨房的墙壁便合拢，恢复了原状。

女厨子慢慢醒过来，睁眼一看，四尾鱼全都烧焦了。她心里十分担心，真是又急又气。这时候，宰相来到厨房，女厨子哭着，把事情的经过详细地告诉了宰相。宰相听了，十分惊讶地说："这真是一桩奇怪的事情。"

于是他立刻派人，让渔夫把上次送来的鱼再送四尾来。

渔夫来到湖中，又打了同样的四尾鱼，赶紧送进宫去。宰相又一次把鱼送到厨房，仍然给女厨子，说道："当着我的面煎吧，让我亲眼看看这种怪事。"

这一次，女厨子刚开始煎鱼，墙壁马上裂开了，那个女郎又出现在他们面前，她的打扮和第一次一模一样。她又把藤杖戳在锅里，又用藤杖掀翻煎锅，然后回到原来的地方，墙壁马上合拢，恢复了原状。

宰相十分惊讶，只好把这件奇怪的事情报告了国王。国王听了，说道："我非亲眼看一看不可。"随即派人又去找渔夫，并限他三天之内，再把那种奇怪的四色鱼送四尾进宫。

渔夫只好又打了四尾鱼。这次国王让宰相亲自在他面前煎鱼。宰相即刻拿来煎锅，洗了鱼，放在锅中。

当他把煎锅架在火上，刚开始煎的时候，墙壁突然裂开。这次里面出来一个大汉，非常强壮，他手握一根绿树杖，粗声粗气地问道："鱼啊！鱼啊！还记得过去的约定吗？"话音刚落，锅中的鱼都抬起头来，答道："是呀，是呀。"大汉走过去，举起树杖，掀翻煎锅，随即从墙缝隐去。

国王仔细打量，见鱼儿都被烧得枯如木炭，感到十分震惊，说道："不能对这样的事沉默不问，这鱼必然有奇特的遭遇。"于是他下令传渔夫进宫，问道："该死的渔夫，你是从哪里打来这种奇特的鱼的？"

"从城外山谷中的一个湖里打来的。"

"从这里去有多远？"

"启禀陛下，大约半小时的路程。"

听了渔夫的话，国王感到惊奇。他急于想弄清楚其中的隐情，便马上带领部下出发了。他们经过郊区，爬过山岭，一直来到广阔的山谷中。只见湖水清澈见底，里面游着白、红、蓝、黄四色鱼。国王和他的部下面面相觑，他们从未见过这样的景象，所有人也都不曾见过这个湖泊。

石化王子

国王非常想了解事情的内幕，于是他

决定晚上在这里住一夜。于是他吩咐部下，依山扎营，并对宰相说："今晚我想一个人静静地躲在帐中，无论什么人，都不许打扰我。如果有人想见我，就告诉他们，说我身体不好，不能接见，不许把我的真实意图透露给任何人。"

宰相遵从命令，小心翼翼地守在帐外。

国王悄悄离开营帐，趁着夜色爬上高山。他连续走了一昼夜。第二天又走了一昼夜，到天亮时，发现远方有一线黑影。他十分高兴，说道："也许我能遇到一个可以把湖和鱼的来历告诉我的人吧。"

那线黑影原来是一座黑石建筑的宫

殿，两扇大门，一开一闭。

国王轻轻地敲门，却听不见回音，也没有人回应。

于是他一次又一次地敲，仍然没有人答应。他又猛烈地敲了一会儿，还是没有人答应。他鼓足勇气，抖擞精神，直接闯入屋里。只见屋里空空荡荡，却布置得井然有序。他无奈地坐在门前，低头沉思。这时候，他忽然听到一声忧郁的叹息声。

国王发现一个青年坐在屋里帘幕后的一张床上。那个青年穿一件金线绣花袍，戴着王冠，然而眉目间却满是忧愁。他彬彬有礼地向国王问好，并客气地说道："我因为残疾，不能起身迎接你，请原谅。"

国王抑制不住好奇，问道："年轻人，我是为了一桩重要的事情到你这儿来的。你能把这里的湖泊、四色鱼和这座宫殿的来历告诉我吗？我想知道，你为什么一个人住在这里？为什么这样痛苦？"

青年听了国王的话，眼泪顺着脸颊扑簌簌地流下。

国王感到奇怪，问道："年轻人，你为什么伤心哭泣？"

"我的遭遇使我怎能不伤心呢！"他伤心地拉开袍服，原来这青年从腰到脚，半截身体全都化为石头了，只是上半身还有知觉。

国王看到这种情

况，不禁非常难过，他长长地叹了一口气，痛苦地说：

"年轻人，我原来是为了打听四色鱼才到这儿来的，可是现在除了鱼的情况外，又要了解你了。年轻人，请把你的遭遇告诉我吧。"

"我自己和四色鱼有着一段离奇古怪的经历，如果把它记录下来，对于后人倒是很好的教训呢！"青年说。

他开始讲述起自己的故事：

先父曾是这个叫做"黑岛"的国家的国王，叫哈穆德。他死后，我继承了王位，并娶了我叔父的女儿。我们情投意合，相亲相爱。这样的生活，一直持续了整整五个年头。

一天，她去澡堂沐浴。当时我在这座宫殿里休息，两个宫女分别坐在床头床尾伺候。这两个宫女以为我睡熟了，便闲谈起来。坐在床头的宫女说："买斯，我们的主人可怜极了！他跟我们这个魔法师太太一起生活，真是糟蹋青春呀！"

"是啊，愿神惩罚这个邪恶的女人！"坐在床尾的宫女说，"我们主人这样青春年少，怎么会娶了这样一个女人为妻呢？主人怎么就不知道呢？"

"她是背着主人在胡闹呀！她每天把麻醉剂放在主人临睡前喝的酒里，主人喝了就会昏迷过去，当然不知道她去了哪里，做了些什么事。直到清晨回来，她点燃香料，主人才会清醒过来呢！"

听到宫女的谈话，我又急又气，脸都黑了。

傍晚，我妻子从澡堂沐浴回来，我们一块儿吃喝。饭后我们坐着闲谈了一阵。天晚了，我照

往

日的习

惯收拾着准备

睡觉。我妻子一如往常，

吩咐仆人给我拿来酒，亲手递给我。我接过酒

后，暗暗地倒掉，然后装做昏迷过去的样子，倒在

床上，拉过被子盖上，仿佛已经入睡。这时，我听见

我妻子自言自语地说道："睡你的觉吧，再不要起来了。

我已经厌倦你了，我不知道还要多久，你才死去。"

她说完就开始穿戴打扮起来，然后，她拿了我的宝

剑，开门出去了。

我立即跳下床，跟踪我妻子出门去。只见她出了宫

门，到了城门下，口中念念有词地咕噜了一会儿，铁锁立即自己掉了下来，城门就开了。她溜出城去，走到一群土丘中。土丘中矗立着一座堡垒，堡垒中有一间砖砌的圆顶屋子。我跟进去，爬上圆屋顶监视她。原来她是来会住在屋中的一个黑奴的。

我妻子跪在黑奴面前，黑奴这才抬起头，骂道："你这个该死的家伙，为什么耽搁这么久？"

"我的主人哟！你不知道，我和我的堂兄结过婚的呀？不过我讨厌他，不愿意跟他一块儿生活。要不是考虑你的安全，我一定会在日出之前毁灭他的城市。"

"该死的家伙呀，你还敢说谎欺骗我吗？从今以后，你要还是这么耽搁时间，我就发誓跟你断绝来往。"

当时我妻子一直站在黑奴面前哭泣哀求。

看到我妻子的丑态，我气得想自杀。

我悄悄地从

屋顶溜下来，慢慢地走进屋去，拿起妻子带来的那把宝剑，一点儿一点儿地抽了出来。想到他们的关系，我一时怒火中烧，一剑砍在了黑奴的脖子上，以为已经结果了他的性命。看到突然出现一个人，我妻子吓得趁机逃掉了。

　　我也急忙回城，回到宫中，然后继续躺在床上睡下。

　　天亮以后，妻子对我撒谎说，她想为死去的父母守孝，我没有办法，只好同意了。从此她终日悲哀，埋头守孝。不久之后她甚至在宫中建起一座哀悼室。

然后，她就把那个黑奴搬到了哀悼室中养病。原来那个黑奴那天中剑后并没有死，他的脖子耷拉在肩膀上，现在每天只能靠汤水度日，眼看就要咽气了。我妻子从早到晚守着他，不辞辛苦地服侍他。

到了第三年，我终于忍无可忍。有一天，我又走进她的哀悼室，我妻子正坐在屋里甜言蜜语地安慰那个黑奴。听到这些，我怒火中烧地质问："你到底要悲哀哭泣到哪一天呀？你到底是谁的妻子？我真恨当时一剑没把他给杀死。"听了我的质问，我妻子一下子站了起来，说："原来是你干的，砍伤了我的情人，摧残了他的青春，叫他三年来在不死不活的境况中受苦受难呀！"

"不错，确实是我做的。"我说着，拔出宝剑，握在手里，准备杀死他们。

只见她张嘴喃喃地念了些什么咒语后，说道："让我把你的下半截身体变成石头吧。"

从那以后，我下半身变成了石头，上半身却是行动自由的活人。而从我的下半身化成石头以后，整个城市，都被她的魔法控制了。城中的居民全都变成了鱼类。伊斯兰教徒变成白鱼，祆教徒变成红鱼，基督教徒变成蓝鱼，犹太教徒变成黄鱼。从此以后，她尽情虐待我，每天打我一百棍，打得我皮破血流，然后在我身上披一块毛巾，再把这件华丽的衣服穿在外面。

魔法城的毁灭

被魔法控制的青年谈了他的遭遇，忍不住伤心哭泣。国王抬头望了他一眼，说道："年轻人，请告诉我吧，你妻子在哪里？受伤的黑奴又在什么地方？"

"黑奴睡在哀悼室中的床上，至于我的妻子，她住在隔壁的大厅里。她每天日出时都到这儿来，脱掉我的衣服，打我一百棍，然后她才往哀悼室去侍奉那个黑奴。等到天一亮，她就又要来了。"

"向神灵起誓，年轻人，我将解救你。"

第二天黎明前，国王脱掉衣服，光着身子，提起宝剑，一直走进哀悼室。他一剑砍死黑奴，把他的尸首扔在一眼井里，然后回到屋内，把黑奴的衣服裹在身上，手中握着宝剑，倒身睡了下去。

过了约一小时，那个妖妇果然来了。她先脱去丈夫的衣服，痛打一顿。直打得丈夫皮破血流，自己也精疲力尽，才给他披上毛巾，把锦袍罩在外面。然后，她手中端着一杯酒、一碗汤到哀悼室去侍奉黑奴。

在哀悼室里，她走到床前，哭着说道："主人哟！你回答我呀，有什么心事，对我讲吧。"

国王压低嗓子，摹仿黑奴的口吻说道："你这个讨厌的家伙！你使我病弱，难以恢复呀！"妖妇惊讶地说："怎么会这样呢？"

"你天天拷打你的丈夫，他哭泣的求救声打扰了我，使我难以入睡。若不是你的扰乱，我该早已恢复健康了，因此，我才一直不理你呢。"

在国王的欺骗下，她答应饶恕了她的丈夫。她取出一个碗，在碗里装满水，念了咒语，碗中的水忽然沸腾起来。她把水洒在丈夫的身上。青年果然霎时恢复了健康。

妖妇对着青年骂道："以后不准你再到这里来，否则我就杀掉你。"待青年离开之后，她才从容地来到哀悼室中，对"黑奴"说：

"我的主人，让我看看你，我会为你的健康而快乐的。"

国王把声音压低说："你用这样的方法医治我，这可不是根本的办法呀！岛国的国民还都忍受着灾难，每到夜深人静时，湖中的鱼都会抬起头，向神灵祈祷求救，并且咒骂我，这才是我不能恢复健康的真正原因。去吧，你马上去解救它们，再来救我出去吧，现在我的健康已逐渐恢复过来了。"

妖妇以为真是黑奴在跟她说话，于是高兴地答应了，兴高采烈地跑到湖畔，伸手掬起一捧水，喃喃地念了咒语。湖中的鱼突然活跃起来，霎时都恢复了原状，变为各种各样的人们。百姓得到解救，城市也顿时恢复了生机。

这时妖妇匆匆赶回哀悼室。看到她匆忙走进哀悼室，国王迅速抽出宝剑，一剑就结果了她的性命。国王走出哀悼室，到宫外跟那位青年国王见面，两人都十分高兴。国王对他说："你愿意随我到我的国家去吗？"

"陛下，您知道我们两国之间的距离吗？"

"两天半的路程吧。"

"陛下，那是在魔禁下的情况，而现在，这儿到贵国，需要整整走一年呢！"

年轻的国王和老国王一块儿动身。他们一路上昼夜跋涉，整整走了一个年头儿，终于平安来到老国

wáng de guó dù　　guówáng píng ān guī lái de xiāo xi hěn kuài chuán kāi　guó mín xǐ
王 的国度。国王平安归来的消息很快传开，国民喜

chū wàng wài　zǎi xiàng hé guó mín quán dōu chū chéng lái yíng jiē guówáng guī lái　　guó
出望外。宰相和国民全都出城来迎接国王归来。国

wáng zài rén qún de cù yōng xià　　huí dào gōngzhōngchòngdēngbǎo zuò
王 在人群的簇拥下，回到宫中，重登宝座。

　　yì tiān　guówáng fēn fù zǎi xiàng　cóngqiánxiàn yú gěi wǒ men de nà ge yú
　　一天，国王吩咐宰相："从前献鱼给我们的那个渔

fū ne　　qù qǐng tā lái jiàn wǒ　zǎi xiàng zūn zhǐ zhǎo dào nà ge yú fū　dài
夫呢？去请他来见我。"宰相遵旨找到那个渔夫，带

jìn gōng lái　guówángzhòngshǎng le yú fū　bǎ yú fū quán jiā jiē jìn gōng xuǎn
进宫来。国王重赏了渔夫，把渔夫全家接进宫，选

le tā de dà nǚ ér dāngwáng hòu　bǎ tā èr nǚ ér xǔ pèi jěi qīngniánguówáng
了他的大女儿当王后，把他二女儿许配给青年国 王

wéi qī　bìngràng yú fū de ér zi zuò le gāoguān cóng nà yǐ hòu　　yú fū yì
为妻，并让渔夫的儿子做了高官。从那以后，渔夫一

jiā rén zài gōngzhōngguò zhexìng fú de shēnghuó
家人在宫 中过着幸福的生活。

辛巴达航海历险记

巴格达城里有一个叫辛巴达的脚夫，他很穷，靠给别人搬运货物过日子。有一天，当他挑着担子经过一家富商门前时，忽然听到一阵悦耳的歌声。一阵微风吹过，他又闻到美味佳肴的香味，忍不住馋涎欲滴。一时间，他感慨万千，认为社会真不公平，有的人天生命苦，有的人天天享福。正要走，突然屋里出来一个衣着华丽的年轻仆人，对他说："我们主人有话对你说，随我进来吧。"

脚夫犹豫片刻，放下担子，随仆人进去了。

只见这座房子宽敞明亮、华丽无比。

席上坐着的，好像都是些达官显贵。

坐在首席的是一位鹤发童颜的老人。

乐师艺人手持乐器，在桌旁纵情地吹拉

tán chàng
弹唱。

　　jiǎo fū xīn bā dá kàn jiàn zhè zhǒng qíng jǐng
　　脚夫辛巴达看见这种情景，
jīng de mù dèng kǒu dāi　　zhǔ rén qǐng tā
惊得目瞪口呆。主人请他
zuò zài zì jǐ shēn biān　　qīn qiè de
坐在自己身边，亲切地
hé tā tán huà　　wǒ men huān yíng
和他谈话："我们欢迎
nǐ　　xiǎo huǒ zi　　qǐng wèn nǐ jiào shén
你，小伙子。请问你叫什
me míng zi　　shì gàn shén me de
么名字？是干什么的？"

　　wǒ míng jiào xīn bā dá　　shì bān
　　"我名叫辛巴达，是搬
yùn gōng
运工。"

　　zhǔ rén tīng
　　主人听
le　　wēi xiào zhe
了，微笑着
shuō　　wǒ men liǎng rén
说："我们两人
zhèng hǎo tóng míng tóng xìng
正好同名同姓，

我是航海家辛巴达。刚才听到了你在门外的感慨，能否重新说一下呢？"

脚夫辛巴达只好遵命，把他的感叹重新诉说了一遍。主人听后，深受感动，对他说："小伙子，你有所不知，其实也不尽如此。我现在过着幸福享乐的日子，但是我曾经七次航海旅行，每次在航海旅行中遭遇到的艰难险阻，都是惊心动魄、令人难以想象的。"

"如果你想听的话，我可以给你讲讲我航海的故事。"

第一次航海旅行

我的父亲原是个生意人，他非常富有。我年纪很小时，父亲不幸故去，给我留下了一大笔遗产。等我长大成人后，我整天不务正业，沉醉在享乐生活中。不久我就发现自己的钱财已挥霍殆尽。我忧愁苦闷，陷入了绝境。

于是我变卖了身边仅存的家具、衣物、财产，换得三千金币，决定出门作长途旅行，到远方去碰碰运气，找些生意做做。

一天，我们路过一个小岛，岛上景色非常美丽，船长吩咐靠岸休息。正当大家吃喝玩乐、流连忘返的时候，船长忽然高声喊道："旅客们，快！扔掉东西，立刻上船。这不是什么岛，而是漂在水上的一条巨大的鱼！因为它在这儿待的日子久了，身上堆满沙土，长出水草，看起来就像岛屿的样子。你们在它身上生火煮饭，它感到热气，已经动起来了。快！扔掉东西，上船来吧！"

大伙儿听了船长的呼唤，都争先

恐后地扔掉东西，急急忙忙向船奔去。可是那条
大鱼已经摇动起来，接着迅速沉了下去。没来得及登
船的人全都淹没在海里，只有少数几人逃脱了劫难。

我也未能幸免，随着那"小岛"慢慢沉到海底。

正当危在旦夕的时候，我发现
旁边漂着一个旅客扔掉的大木托
盘。我毫不犹豫地抓住它，爬在
上面，心想要是漂到船边，
就有救了。可是船长是个
自私的人，他不顾我们的
死活，竟扬帆而去。我
望着渐渐远去的船
身，心想这下必死
无疑了。

就这样，我在海

上漂流了一昼夜。第二天，风浪把我推到一个荒岛上。这是一个美丽的小岛，有潺潺流淌的清泉，岛上长着许多野果。于是我靠野果充饥，泉水解渴，静静地休息了几天。我想等身体复元后再作打算。一天，我正沿着海滨散步，突然发现远处有一个模糊的影子。走近一看，原来是一匹高大的骏马，被人拴住了。它看见我，长嘶一声，吓了我一跳。这时有人从地洞里钻了出来，我遇上了专门替国王迈赫培养种马的牧马人。听了我的遭遇，他们都很同情我，并带我进宫去拜见国王。国王非常器重我，并留我在宫中任职。于是，我做了管理港口的工作，负责登记过往船只。一天，我发现一只大

chuán
船
xiàng gǎng kǒu shǐ
向 港 口 驶
lái chuán kào àn hòu chuánzhǎng jiào shuǐshǒu
来。船靠岸后，船长叫水手
bān chū huò wù jiāo gěi wǒ dēng jì wǒ wèn chuánzhǎng chuán shang hái yǒu qí tā
搬出货物，交给我登记。我问船长："船上还有其他
huò wù ma
货物吗？"

shì de xiānsheng chuán li hái cúnzhe yí bù fen huò wù bú guò tā de zhǔ
"是的，先生，船里还存着一部分货物，不过它的主
rén yǐ zài hǎi shang yù nàn tā de huò wù yóu wǒ men dài wéi bǎoguǎn wǒ men dǎ suàn
人已在海上遇难，他的货物由我们代为保管。我们打算
bǎ zhè xiē huò wù màidiào huàn le qián dài huí bā gé dá qù jiāo gěi tā de jiā shǔ
把这些货物卖掉，换了钱带回巴格达去，交给他的家属。"
huò wù zhǔ rén de míng zi jiàoshén me
"货物主人的名字叫什么？"
tā shì hánghǎi jiā jiào xīn bā dá yǐ jīngyān sǐ le
"他是航海家，叫辛巴达，已经淹死了。"
tīng le chuánzhǎngzhè fān huà wǒ rèn chū tā jiù shì wǒ men yù nàn nà zhī chuán
听了船长这番话，我认出他就是我们遇难那只船
de chuánzhǎng wǒ yì zhì bú zhù nèi xīn de jī dòng shī shēng dà hǎn qǐ lái
的船长。我抑制不住内心的激动，失声大喊起来：

"船长！我就是你所说的那些货物的主人呀！我就是你说的那个航海家辛巴达啊！"

船长原本不相信。我于是一五一十地对船长讲起了船从巴格达出发后在途中的各种经历，以及旅途中我和他之间交接过的手续和关系。听完后，船长和商人们才相信，我的确讲的都是真话。于是大家笑逐颜开，祝贺我安然无恙，说："我们做梦也没想到你会脱险。"他们立即把货物归还给我，所有的东西完好如初。

我打开货箱，挑选了几种最名贵值钱的东西，作为礼物，献给国王，并告诉他，我原来乘的那只商船来到了港口，我原先的那些货物失而复得了。为感谢国王的救命之恩，特将其中的一部分货物作为礼物进献。国王非常高兴，明白了我过去所说的全都是事实，也回赠了我许多礼物。

我卖掉货物，赚了一大笔钱，又收购了当地的一些土产，装到船上。船快要开时，我去和国王道别，感谢他对我的厚爱，请他允许我启程回乡。国王慨然应允。

船儿在茫茫的大海中，昼夜兼程地航行，最后平安回到我的故乡——巴格达。许多亲戚朋友都来看我，我携带货物，满载而归。

我这次旅行赚了不少钱，回到家乡后，我就用它兴家置业。

从那以后，我又过上了舒适、悠闲的享乐生活。好了，以上就是我第一次航行的故事。若你愿意听，或许明天我会给你讲我的第二次航海的经历。

第二次航海旅行

昨天已告诉你们我第一次旅行归家，过起了从前那样悠闲的享乐生活。可是突然有一天，我又冒出了出去旅行的念头，很想到海外游览各地的名胜古迹，了解各处的风土人情，并兼做一些生意，赚一笔大钱回来。

于是，我收购了一些适合带出去的货物，运到海滨，碰巧那儿正好停着一只新船，满载旅客和食物，准备起航。我把货物搬到船上，与他们结伴出发。

一天，我们的船路过一座非常美丽、可爱的小岛。我们的船靠岸后，大家前呼后拥地上岸观光。我独自一个人坐在小溪边，一边吃东西，一边看风景，不知不觉地我竟然在风景如画

de xiǎo dǎo shang shuì
的 小 岛 上 睡

zháo le
着 了。

　　yí jiào xǐng lái　　bú jiàn yí gè rén yǐng　yuán lái　shāng chuán yǐ jīng kāi zǒu
　　一 觉 醒 来，不 见 一 个 人 影。原 来，商 船 已 经 开 走

le　　bǎ wǒ yí gè rén rēng zài le dǎo shang　wǒ yí gè rén liú luò huāng dǎo　méi
了，把 我 一 个 人 扔 在 了 岛 上。我 一 个 人 流 落 荒 岛，没

yǒu chī　méi yǒu hē　jǐ hū shī qù le shēng huó de xìn xīn　jué wàng zhī yú
有 吃，没 有 喝，几 乎 失 去 了 生 活 的 信 心，绝 望 之 余，

bù jīn bēi tàn dào　　yí gè rén bú shì měi cì dōu pèng shàng hǎo yùn qi de　shàng cì
不 禁 悲 叹 道："一 个 人 不 是 每 次 都 碰 上 好 运 气 的，上 次

yù nàn bèi rén jiù　　zhè cì yào xiǎng zài cì tuō xiǎn　kǒng pà shì tài nán le
遇 难 被 人 救，这 次 要 想 再 次 脱 险，恐 怕 是 太 难 了。"

　　wǒ pīn mìng pá shàng yì kē dà shù　xiàng yuǎn fāng tiào wàng　tū rán　wǒ fā
　　我 拼 命 爬 上 一 棵 大 树，向 远 方 眺 望。突 然，我 发

xiàn hěn yuǎn de dì fang yǒu yí gè jù dà de bái sè wù tǐ　wǒ gǎn máng liū xià shù
现 很 远 的 地 方 有 一 个 巨 大 的 白 色 物 体。我 赶 忙 溜 下 树，

xiàng bái sè wù tǐ chū xiàn de fāng xiàng zǒu qù　xiǎng qù kàn gè jiū jìng
向 白 色 物 体 出 现 的 方 向 走 去，想 去 看 个 究 竟。

　　nà yuán lái shì zhuàng bái sè de yuán dǐng jiàn zhù　wǒ rào zhe tā zhuàn le yì
　　那 原 来 是 幢 白 色 的 圆 顶 建 筑。我 绕 着 它 转 了 一

圈，也没有找到它的大门。就在我束手无策的时候，我发现太阳突然不见了。我又惊又怕，再抬头细看，只见天空中出现一只身躯庞大，被称为神鹰的野鸟。这种鸟常常捕捉大象喂养雏鸟，我刚才看见的那幢白色圆顶建筑，原来是个神鹰蛋。这时，那只神鹰慢慢地落了下来，两脚向后伸直，缩起翅膀，安然伏在蛋上。

突然，我脑子里冒出个想法，于是我立即行动起来。我解下缠头，搓成一条绳子，拴住自己的腰，再牢牢把绳子绑在神鹰腿

上，暗想道："也许这只神鹰能把我带到有人烟的地方去。"

第二天清晨，神鹰把我带到了一个遍地都是钻石和蟒蛇的山谷。那里蟒蛇张着嘴，像是一口能吞下一头大象。它们都昼伏夜出，以躲避神鹰的扑杀。夜幕很快降临了。我怕蟒蛇吃了我，想找个栖身的地方。我发现附近有个洞口很小的山洞，赶紧钻了进去。进去以后才发现，一条大蛇正孵着蛋卧在洞中，我顿时吓得半死，只好听天由命了。

我眼睛睁得大大的，好不容易熬到天亮，飞快地逃了出去。正当我徘徊无望的时候，突然从天空中落下一头被宰的牲畜。我想起从前有人对我讲过的一个传说：传说出产钻石的地方，都是极深的山谷，人们没法下去采集它们，珠宝商人就想出了一个办法，把羊宰了，剥掉皮，丢到山谷中去，血淋淋的羊

肉沾满

钻石后，被山中巨大
的秃鹰携着飞向山顶。
当鹰要啄食的时
候，他们就赶走秃
鹰，收拾沾在羊肉
上的钻石。据说这
是珠宝商人获得钻石的唯一方法。

我看见那只被宰的大羊，跑上前去一看，果然羊肉
上有许多钻石，我赶紧把口袋里都装上钻石，同时
躺下去，用缠头把自己绑在羊身上。

等了一会儿，落下一只秃鹰，叼着被宰的羊飞了起
来，一直落到山顶上。它正要啄食羊肉，忽然传来
一阵呐喊声，秃鹰闻声飞走，我赶紧解开缠头，从地
上爬了起来。接着一个商人跑了过来，他见我站在

羊前，吓得浑身直打哆嗦。我走过去安慰他说："你别害怕。我不是坏人，也是个买卖人。你别伤心，我这儿有许多钻石，我会分一部分给你。"

听了我的话，商人非常感激。其他取钻石的商人也都前来问候、祝福我。我对他们讲了自己的遭遇和流落到山谷中的经过，并且给了那个商人许多钻石。

我和商人们待在一块儿，平静地过了一夜，然后一起下山。我从一个城市旅行到另一个城市，沿途拿钻石换回许多货物，运到各地贩卖，赚了不少钱。

我经过

长期颠沛流离的旅行，到过许多地方，最后满载着钻石、金钱和货物，回到家乡巴格达。和家人朋友见面后，我分送礼物给他们，并施舍给穷人财物。人们听说我第二次脱险后，纷纷前来祝福我，我又过起了从前那种舒服的日子，渐渐地就把所经历的危难险境淡忘了。

航海家辛巴达讲了第二次航海的旅行经历，接着说道："若大家愿意听，明天再给你们讲第三次航海旅行的经历。"

第三次航海旅行

我的第三次航海旅行是最离奇的。

你们知道，我第二次航海旅行归来，赚了很多钱，而且能够脱险平安回来，过上安逸的生活，应该很满足了。可是过了一阵清闲的日子后，我又萌生了出去旅行的念头。于是，我带上许多货物，又一次毅然离开了家。

我在巴士拉海港乘上一只大船。一天，船正在海中航行，只听得站在甲板上向远处眺望的船长忽然高声狂叫起来，情况发生得非常蹊跷。我们连忙安慰他，问道："船长，发生了什么事情？"

"旅客们！我们的船被风浪吹到猿人山了。这山里的人，跟猴子一样，极其凶残。凡是来到这儿的人，谁都别想逃脱厄运！"船长话音刚落，猿人便出现了。猿人们爬到船上，将我们洗劫一空，又把我们驱赶上岸。之后，猿人们便一哄而散，跑得无影无踪。

我们被困在荒岛上，只好采摘野果充饥，舀河水解渴。不久，有人发现岛上有幢房子，我们立刻前去观看，原来竟是一幢结构非常结实牢固的高楼，门是紫檀木做的，两扇门都大开着。从门口向里望，有一个很宽敞的庭院。我们往里走，只见厅堂里摆着高大的凳子，炉灶上挂着各种烹调器皿，周围堆着无数的人骨头，只是屋中没有一点儿声音，看不到一个人。我们都非常惊奇。

大家进屋坐了一会儿，仍不见什么动静，于是大家一个个倒头便睡。我们从早晨一直睡到日落。不知过了多久，突然被一阵隆隆的响声从梦中惊醒。这

时地面突然震动起来，接着从楼上下来一个黑色的巨大怪物。

只见这个巨形怪物走到我们面前，猛地把我抓起来，放在手中仔细观看。看了一阵，他似乎觉得我不够标准，又把我扔在地上，又抓起另一个伙伴，也像对我那样端详了一会儿，又扔下了。最后他的目光落在了船长身上。他是我们中最健壮的一个。只见他把船长像老鹰抓小鸡一样提了起来，摔死在地上，然后那怪物取出一把长铁叉，把船长的尸体串在叉上，放在火上烤着吃，吃完后便躺在高凳上呼呼大睡起来。直到清晨，那怪物才从梦中醒来，旁若无人地扬长而去了。

昨晚那一幕实在太恐怖了！我们强打精神往外走，企图找个藏身的地方，或找条逃走的道路。走了一天，走遍全岛，一无所获。夜幕降临了，我们走投无路，只好惊恐万分地回到那幢屋子里，暂时栖身。我们刚坐定，脚下的地面又震动起来，接着那黑色的怪物又像昨天一样出现了。他在我们中找了一个他满意的人，如法炮制地像昨天那样美餐了一顿，然后睡到天亮后又走了。

怪物走后，大家围在一起商量对策。大家决定先动手做个木筏，然后再设法杀掉怪物。于是大家一起动手，先做成一张筏子，然后回到屋里来。接着那个怪物就出现了，当他选中目标的时候，我们从四周跑上来，拿着早已准备好的铁叉，一下就戳瞎了他的

shuāng yǎn. tā tòng de kuáng jiào qǐ lái. tā zhēng zhá zhe pá qǐ lai, luàn jiào zhe
双 眼。他痛得狂叫起来。他挣扎着爬起来，乱叫着

shì tú lái zhuā wǒ men. tā zhèng zhá le yí huì er, kuáng jiào zhe, diē diē zhuàng
试图来抓我们。他挣扎了一会儿，狂叫着，跌跌撞

zhuàng de chū le dà mén.
撞 地出了大门。

wǒ men gāng sōng kǒu qì, zhǐ jiàn nà xiā zi guài wù yòu dài lái le liǎng gè gèng
我们刚松口气，只见那瞎子怪物又带来了两个更

gāo dà de tóng lèi lái. dà jiā pīn mìng de chōng shàng fá zi, fēi kuài de lí kāi
高大的同类来。大家拼命地冲上筏子，飞快地离开

hǎi àn. kě shì liǎng gè guài wu shǒu li ná zhe shí kuài, jǐn zhuī bú fàng, tā men
海岸。可是两个怪物手里拿着石块，紧追不放，他们

bǎ shí tou duì zhǔn wǒ men luàn rēng. tóng bàn men hěn duō dōu bèi shí tou dǎ sǐ le,
把石头对准我们乱扔。同伴们很多都被石头打死了，

zhǐ shèng wǒ hé qí yú liǎng gè tóng bàn tuō le xiǎn.
只剩我和其余两个同伴脱了险。

wǒ men sān gè xìng yùn de rén chéng zhe fá zi,
我们三个幸运的人乘着筏子，

zài hǎi miàn shang piāo liú le hěn jiǔ, bèi fēng làng tuī
在海面上漂流了很久，被风浪推

dào lìng yí gè xiǎo dǎo shang. wǒ men gǎn dào yǒu jiù
到另一个小岛上。我们感到有救

了，激动不已。由于过度惊吓，我们已经精疲力竭，天一黑就躺在地上睡着了。可是不久便被响声惊醒，只见一条又粗又长的大蟒蛇正在吞食我的一个同伴。

我们在岛上东躲西藏。天快黑的时候，来到一棵大树下。我们一直爬到树顶，心想可能安全了，便躲在枝叶中睡觉。可是我那唯一的同伴，又被夜里悄悄爬到树上的大蟒蛇吞入口中吃掉了。第二天我找到几块宽木头，分别绑在四肢上，好像钻进了一个木笼，安然躺在地上休息。

当天夜里，有条大蟒又来到大树下面，一直游到我面前，可是木头像盔甲般护着我，它无法下口吃我，只得绕着兜圈子。我眼睁睁地望着它，吓得魂飞魄散。等蟒蛇远去了，我急忙爬出木笼，向海边走去，看有没有过往的船只。果然看见远方有条船！我赶紧折了一条大树枝，一边摇，一边大声呼唤。船上的人听见喊声，就把船驶到岸边，把我带上船去，问我的情况。我把自己这次旅行死里逃生的遭遇，详细叙述了一遍。他们听了感到十分惊奇。

我随着这艘船，来到一个叫塞辽赫的岛上。商人们争先恐后携带货物上岸去做生意。船长见我一个人呆呆站在船上，对我说道："现在你身无分文，离乡背井，又遭遇那么多惊险，我愿接济你，让你赚点儿钱好回家，以后可别忘了我哦！"

"本来有个商人搭我们的船旅行，但他却中途失踪，生死不明。他走时留下了许多货物，现在我把这些货让你拿去卖，所得的利润你得一部分，剩下的交给我带回巴格达，找到他的家属，还给他们。你愿意这样干吗？"

船长吩咐水手把货物搬出来，货单交给我。船上记账的人问道："船长，这批货物，记在谁的账上？"

"记在那个航海家辛巴达的账上吧，我托这个外乡人把他的货物带去卖。"

我听见船长说出我的名字，禁不住大声喊道："船长啊！告诉你吧，我就是航海家辛巴达！我还活着，没有淹死。"原来我遇上了第二次的那艘船。

于是，我就把那天上船，以及后来的遭遇详细地对船长说了一遍。

船长听了我的话，问道："你的货物有什么标记？"

我把货物的种类、特征以及在巴士拉上船以后和他的交往情况都叙述了一遍，他这才相信我是航海家辛巴达。货物原封归还我

后，我又赚了一大笔钱，回到家乡，和家人、亲友团聚。大家见我安全归来，非常高兴。从此我过着舒适的生活，把过去旅途中的惊险遭遇，忘得一干二净。

航海家辛巴达讲了第三次航海旅行的经历，接着说道："明天我讲第四次航海旅行的情况给你们听，那将比这一次更离奇。"

第四次航海旅行

朋友们，你们知道，我第三次航海旅行后，回到家乡，过着比从前更安逸的生活，把过去旅途中的遭遇忘得干干净净。过了一些时候，我又生出了外出做生意的念头。于是，我同一大群商人朋友，带上货物，再次出海。

船在海中一路顺风地航行了几天。

突然有一天，海面上暴风骤起，波涛汹涌，最后船沉了。我奋力挣扎，终于抓住一块破船板。我同几个旅客伏在船板上，在海中漂流了一天一夜。

最后我们被风浪推上了一片沙滩。我们开始沿着海滨向前走，无意间发现远处隐约有一幢房子。还未等我们定下神来，屋里就出来一群一丝不挂的大汉。他们一言不发，抓住我们，就拖到国王面前。

国王摆出一桌我们从没见过的东西招待我们。同伴们饿极了，立刻大吃起来，只有我一点儿也没吃。同伴们吃了那些东西，一个个慢慢变得像傻子一样。那些大汉又拿椰子油灌我的伙伴们，并往他们身体上涂抹。

伙伴们喝了椰

zǐ yóu hòu lián yǎn zhū dōu bù néng dòng le　　ér shì yù què gèng jiā wàng shèng　kàn zhe
子油后连眼珠都不能动了，而食欲却更加旺盛。看着

zhè zhǒng qíng jǐng　wǒ hài pà jí le
这种情景，我害怕极了！

wǒ fā xiàn fán wù rù tā men dì qū de rén　ruò bèi fā xiàn　dōu yào dǎi dào
　我发现凡误入他们地区的人，若被发现，都要逮到

guó wáng miàn qián　yòng yǐ shàng de fāng fǎ duì dài　děng bǎ rén wèi de hěn féi pàng
国王面前，用以上的方法对待，等把人喂得很肥胖，

jiù shā le gōng guó wáng xiǎng yòng　zhè lǐ de rén shì xí guàn chī shēng rén ròu de
就杀了供国王享用。这里的人是习惯吃生人肉的。

kàn dào tóng bàn men yǐ biàn chéng chī dāi de yú rén　rèn rén zǎi gē　wǒ yōu yù
　看到同伴们已变成痴呆的愚人，任人宰割，我忧郁

chéng jí　yuè lái yuè shòu　zhú jiàn de　tā men jiù bǎ wǒ wàng jì le　yú shì
成疾，越来越瘦。逐渐地，他们就把我忘记了。于是

wǒ zhuā zhù jī huì jiù qiāo qiāo de táo zǒu le　wǒ pǎo ya
我抓住机会就悄悄地逃走了。我跑呀

pǎo　yì lián pǎo le bā tiān　cái kàn dào yuǎn fāng
跑，一连跑了八天，才看到远方

yǐn yuē chū xiàn rén yǐng　yuán lái shì yì xiē rén
隐约出现人影。原来是一些人

zài cǎi hú
在采胡

椒。他们看见我，立刻围住了我，我把自己的身世和各种离奇的遭遇告诉了他们。他们领我去见他们的国王。

这是一座繁华的城市。但是那里的人们都骑着没有马鞍的骡马，我觉得很奇怪。我便为国王制作了一个鞍架。国王骑着那匹配鞍的马，风光了一阵。城中百姓纷纷要求我替他们制造马鞍。我应允了他们的要求，制造出大批马鞍，赚了不少钱。我变成了受人欢迎和尊敬的名人。我过着怡然自得的舒心日子。

为了不让我离开，有一天国王还把一个美丽聪明的姑娘许配给我了，让我在那里成家。我和妻子彼此相爱，生活非常甜蜜。

有一天，从邻居家传来悲哀的哭喊声，原来是邻居的妻子死了，他为妻子的死而悲伤。我劝慰他说："你多多保重，不必为夫人之死而过于悲哀。"

他十分悲恸地说："我只能活一天了，怎么能不难过呢？"

原来这个地方的风俗习惯是：妻子死了，丈夫就得陪葬；同样的，丈夫死了，妻子也得陪葬。正当我和邻居说话的时候，许多人都陆续赶来慰问，准备送葬。

他们拿来一个木头匣子，把死人装在里面，带着她的丈夫，把他们送到靠海边的一座高山上，掀开一块大石头，把死者扔进一个深不可测的坑洞里，然后拿粗绳子系着我的邻居，把他也放进洞去，同时放下一罐水、七个面饼给他。我的邻居下到坑洞中解开绳

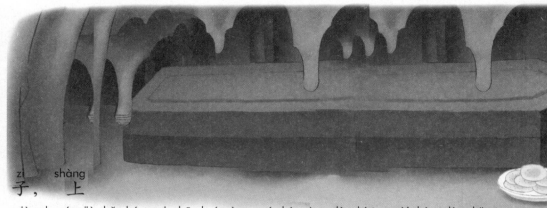

<ruby>子<rt>zi</rt></ruby>，<ruby>上<rt>shàng</rt></ruby>

<ruby>面<rt>miàn</rt></ruby> <ruby>的<rt>de</rt></ruby> <ruby>人<rt>rén</rt></ruby> <ruby>就<rt>jiù</rt></ruby> <ruby>把<rt>bǎ</rt></ruby> <ruby>绳<rt>shéng</rt></ruby> <ruby>子<rt>zi</rt></ruby> <ruby>收<rt>shōu</rt></ruby> <ruby>回<rt>huí</rt></ruby> <ruby>去<rt>qù</rt></ruby>，<ruby>然<rt>rán</rt></ruby> <ruby>后<rt>hòu</rt></ruby> <ruby>用<rt>yòng</rt></ruby> <ruby>大<rt>dà</rt></ruby> <ruby>石<rt>shí</rt></ruby> <ruby>头<rt>tou</rt></ruby> <ruby>盖<rt>gài</rt></ruby> <ruby>上<rt>shàng</rt></ruby> <ruby>洞<rt>dòng</rt></ruby> <ruby>口<rt>kǒu</rt></ruby>，<ruby>这<rt>zhè</rt></ruby> <ruby>才<rt>cái</rt></ruby> <ruby>回<rt>huí</rt></ruby> <ruby>家<rt>jiā</rt></ruby>。<ruby>这<rt>zhè</rt></ruby> <ruby>就<rt>jiù</rt></ruby> <ruby>是<rt>shì</rt></ruby> <ruby>他<rt>tā</rt></ruby> <ruby>们<rt>men</rt></ruby> <ruby>的<rt>de</rt></ruby> <ruby>葬<rt>zàng</rt></ruby> <ruby>礼<rt>lǐ</rt></ruby>。

<ruby>同<rt>tóng</rt></ruby> <ruby>时<rt>shí</rt></ruby> <ruby>我<rt>wǒ</rt></ruby> <ruby>进<rt>jìn</rt></ruby> <ruby>宫<rt>gōng</rt></ruby> <ruby>觐<rt>jìn</rt></ruby> <ruby>见<rt>jiàn</rt></ruby> <ruby>国<rt>guó</rt></ruby> <ruby>王<rt>wáng</rt></ruby>，<ruby>了<rt>liǎo</rt></ruby> <ruby>解<rt>jiě</rt></ruby> <ruby>到<rt>dào</rt></ruby> <ruby>像<rt>xiàng</rt></ruby> <ruby>我<rt>wǒ</rt></ruby> <ruby>这<rt>zhè</rt></ruby> <ruby>样<rt>yàng</rt></ruby> <ruby>的<rt>de</rt></ruby> <ruby>异<rt>yì</rt></ruby> <ruby>乡<rt>xiāng</rt></ruby> <ruby>人<rt>rén</rt></ruby>，<ruby>如<rt>rú</rt></ruby> <ruby>果<rt>guǒ</rt></ruby> <ruby>妻<rt>qī</rt></ruby> <ruby>子<rt>zi</rt></ruby> <ruby>在<rt>zài</rt></ruby> <ruby>此<rt>cǐ</rt></ruby> <ruby>地<rt>dì</rt></ruby> <ruby>死<rt>sǐ</rt></ruby> <ruby>了<rt>le</rt></ruby>，<ruby>同<rt>tóng</rt></ruby> <ruby>样<rt>yàng</rt></ruby> <ruby>也<rt>yě</rt></ruby> <ruby>要<rt>yào</rt></ruby> <ruby>入<rt>rù</rt></ruby> <ruby>乡<rt>xiāng</rt></ruby> <ruby>随<rt>suí</rt></ruby> <ruby>俗<rt>sú</rt></ruby>。<ruby>我<rt>wǒ</rt></ruby> <ruby>害<rt>hài</rt></ruby> <ruby>怕<rt>pà</rt></ruby> <ruby>极<rt>jí</rt></ruby> <ruby>了<rt>le</rt></ruby>！<ruby>唯<rt>wéi</rt></ruby> <ruby>恐<rt>kǒng</rt></ruby> <ruby>妻<rt>qī</rt></ruby> <ruby>子<rt>zi</rt></ruby> <ruby>先<rt>xiān</rt></ruby> <ruby>死<rt>sǐ</rt></ruby>，<ruby>拿<rt>ná</rt></ruby> <ruby>我<rt>wǒ</rt></ruby> <ruby>去<rt>qù</rt></ruby> <ruby>陪<rt>péi</rt></ruby> <ruby>葬<rt>zàng</rt></ruby>。<ruby>不<rt>bú</rt></ruby> <ruby>料<rt>liào</rt></ruby> <ruby>妻<rt>qī</rt></ruby> <ruby>子<rt>zi</rt></ruby> <ruby>忽<rt>hū</rt></ruby> <ruby>然<rt>rán</rt></ruby> <ruby>一<rt>yí</rt></ruby> <ruby>病<rt>bìng</rt></ruby> <ruby>不<rt>bù</rt></ruby> <ruby>起<rt>qǐ</rt></ruby>，<ruby>很<rt>hěn</rt></ruby> <ruby>快<rt>kuài</rt></ruby> <ruby>就<rt>jiù</rt></ruby> <ruby>死<rt>sǐ</rt></ruby> <ruby>了<rt>le</rt></ruby>。<ruby>照<rt>zhào</rt></ruby> <ruby>例<rt>lì</rt></ruby> <ruby>许<rt>xǔ</rt></ruby> <ruby>多<rt>duō</rt></ruby> <ruby>本<rt>běn</rt></ruby> <ruby>地<rt>dì</rt></ruby> <ruby>人<rt>rén</rt></ruby> <ruby>给<rt>gěi</rt></ruby> <ruby>我<rt>wǒ</rt></ruby> <ruby>妻<rt>qī</rt></ruby> <ruby>子<rt>zi</rt></ruby> <ruby>穿<rt>chuān</rt></ruby> <ruby>戴<rt>dài</rt></ruby> <ruby>整<rt>zhěng</rt></ruby> <ruby>齐<rt>qí</rt></ruby> <ruby>后<rt>hòu</rt></ruby>，<ruby>把<rt>bǎ</rt></ruby> <ruby>她<rt>tā</rt></ruby> <ruby>装<rt>zhuāng</rt></ruby> <ruby>在<rt>zài</rt></ruby> <ruby>木<rt>mù</rt></ruby> <ruby>匣<rt>xiá</rt></ruby> <ruby>里<rt>li</rt></ruby>，<ruby>又<rt>yòu</rt></ruby> <ruby>抬<rt>tái</rt></ruby> <ruby>到<rt>dào</rt></ruby> <ruby>城<rt>chéng</rt></ruby> <ruby>外<rt>wài</rt></ruby> <ruby>海<rt>hǎi</rt></ruby> <ruby>边<rt>biān</rt></ruby> <ruby>的<rt>de</rt></ruby> <ruby>山<rt>shān</rt></ruby> <ruby>上<rt>shang</rt></ruby>，<ruby>把<rt>bǎ</rt></ruby> <ruby>木<rt>mù</rt></ruby> <ruby>匣<rt>xiá</rt></ruby> <ruby>扔<rt>rēng</rt></ruby> <ruby>进<rt>jìn</rt></ruby> <ruby>洞<rt>dòng</rt></ruby> <ruby>里<rt>li</rt></ruby>，<ruby>然<rt>rán</rt></ruby> <ruby>后<rt>hòu</rt></ruby> <ruby>大<rt>dà</rt></ruby> <ruby>家<rt>jiā</rt></ruby> <ruby>就<rt>jiù</rt></ruby> <ruby>来<rt>lái</rt></ruby> <ruby>和<rt>hé</rt></ruby> <ruby>我<rt>wǒ</rt></ruby> <ruby>告<rt>gào</rt></ruby> <ruby>别<rt>bié</rt></ruby>。<ruby>我<rt>wǒ</rt></ruby> <ruby>不<rt>bù</rt></ruby> <ruby>禁<rt>jīn</rt></ruby> <ruby>大<rt>dà</rt></ruby> <ruby>声<rt>shēng</rt></ruby> <ruby>呼<rt>hū</rt></ruby> <ruby>喊<rt>hǎn</rt></ruby>：“<ruby>我<rt>wǒ</rt></ruby> <ruby>是<rt>shì</rt></ruby> <ruby>外<rt>wài</rt></ruby> <ruby>乡<rt>xiāng</rt></ruby> <ruby>人<rt>rén</rt></ruby>，<ruby>别<rt>bié</rt></ruby> <ruby>这<rt>zhè</rt></ruby> <ruby>么<rt>me</rt></ruby> <ruby>对<rt>duì</rt></ruby> <ruby>待<rt>dài</rt></ruby> <ruby>我<rt>wǒ</rt></ruby>。”

<ruby>可<rt>kě</rt></ruby> <ruby>是<rt>shì</rt></ruby> <ruby>他<rt>tā</rt></ruby> <ruby>们<rt>men</rt></ruby> <ruby>把<rt>bǎ</rt></ruby> <ruby>我<rt>wǒ</rt></ruby> <ruby>绑<rt>bǎng</rt></ruby> <ruby>起<rt>qǐ</rt></ruby> <ruby>来<rt>lái</rt></ruby>，<ruby>同<rt>tóng</rt></ruby> <ruby>样<rt>yàng</rt></ruby> <ruby>放<rt>fàng</rt></ruby> <ruby>上<rt>shàng</rt></ruby> <ruby>一<rt>yí</rt></ruby> <ruby>罐<rt>guàn</rt></ruby> <ruby>水<rt>shuǐ</rt></ruby>、<ruby>七<rt>qī</rt></ruby> <ruby>个<rt>gè</rt></ruby>

面饼，放
miànbǐng fàng

进洞去，说道："解掉绳子吧。"
jìn dòng qù shuō dào jiě diào shéng zi ba

我不愿这么干，他们就把绳子一扔，
wǒ bú yuàn zhè me gàn tā men jiù bǎ shéng zi yì rēng

盖上洞口的大石头，扬长而去。
gài shàng dòng kǒu de dà shí tou yáng cháng ér qù

我在坟墓里绝望地过了几天，快
wǒ zài fén mù li jué wàng de guò le jǐ tiān kuài

要死去的时候，头上的洞口突然发
yào sǐ qù de shí hou tóu shang de dòng kǒu tū rán fā

出剧烈的声响，接
chū jù liè de shēng xiǎng jiē

着有人放下一具
zhe yǒu rén fàng xià yí jù

男尸和一个哭哭啼啼的女人，同时也放了吃的东西。送葬的人散去后，我走近那个女人身后，把她打死，抢了她的食物。

我就这样在坑洞中活命。每当外面有人死亡，我就杀死陪葬的人，夺取他们的食物。直到有一天，附近有响动之声把我从梦中惊醒。我警惕地前去查看，原来是一只野兽。我跟踪追赶了一阵，忽然发现了一个通往外面的出口。

我钻进洞去，换一身干净些的衣服穿在身上，然后每天出洞，坐在海滨等待过往的船只。一天，我照例在海滨等待，突然发现，大海上有一只船经过。我大声呼救，船上的人听见我的呼喊声，便把船驶了过来搭救了我。

于是，我随船安全抵达巴士拉，然后转回巴格达，又和家人们见面了。大家见我平安归来，都欢欣地向

wǒ zhù hè　cóng cǐ　wǒ yòu guò shàng le　nà zhǒng wú jū wú shù de xiǎng lè shēng
我祝贺。从此，我又过上了那种无拘无束的享乐生

huó　zhè jiù shì wǒ dì sì cì háng hǎi lǚ xíng de qí xiǎn jīng lì
活。这就是我第四次航海旅行的奇险经历。

háng hǎi jiā xīn bā dá jiǎng shù le　dì sì cì háng hǎi de jīng lì　jiē zhe duì jiǎo
　航海家辛巴达讲述了第四次航海的经历，接着对脚

fū xīn bā dá shuō　xiōng di　zài wǒ zhè er chī wǎn fàn ba　míng tiān nǐ lái　wǒ
夫辛巴达说："兄弟，在我这儿吃晚饭吧。明天你来，我

jiǎng dì wǔ cì háng hǎi lǚ xíng de gù shi gěi nǐ tīng　nà gèng jīng xiǎn
讲第五次航海旅行的故事给你听，那更惊险！"

dì wǔ cì háng hǎi lǚ xíng
第五次航海旅行

péng you men　wǒ dì sì cì háng hǎi lǚ xíng guī lái　zhuàn le xǔ duō qián　yòu
　朋友们，我第四次航海旅行归来，赚了许多钱，又

zhěng tiān chén jìn zài xiǎng lè de shēng huó zhōng　guò qù lǚ
整天沉浸在享乐的生活中，过去旅

xíng zhōng de gè zhǒng jīng xiǎn zāo yù màn màn de wàng
行中的各种惊险遭遇慢慢地忘

guāng le　rì zi yì tiān tiān guò qù　wǒ yòu
光了。日子一天天过去，我又

xiǎng dào hǎi wài zuò shēng yi　yú shì jué
想到海外做生意，于是决

dìng kāi shǐ wǒ de dì wǔ cì háng
定开始我的第五次航

hǎi lǚ xíng
海旅行。

wǒ shōu gòu
我收购

le　xǔ
了许

067

多便于携带的名贵货物，

带到巴士拉。远远望见

海滨正停着一只设备齐

全的大船，我就出钱买下，

并雇了一个船长，满载货物准备开航。

我们不停地跋涉，途经无数的海岛和城市。

每到一个城市，我们都要去观光、做买卖。一天，

我们的船途经一个荒无人烟的大海岛，岛

上只有一座白色圆顶的大建筑。船上的人

都非常好奇，非要去岛上看一看。我突然

想起这座所谓的建筑物，其实是

个庞大的神鹰蛋，可是这些

人不知道，只想看个究竟。

他们还拿石头把蛋砸破，

把里面未成形

的雏鹰都扯出来吃了。看见他们的举动，我吓了一跳，说："你们这样胡来，神鹰会报复的。"

我的话音刚落，太阳忽然不见了。我抬头一看，果然是神鹰来了。我吩咐船长赶快开船逃命。我们的船刚走不远，两只神鹰就追来了，它们每只爪中抓着一块大石，用大石击中了船舵，砸碎了船尾，转眼间船便沉了。

我抓住一块破船板，风浪把我推到了一个荒岛上。这个荒岛仿佛是乐园一般，树林茂密，河水潺潺，遍地开满各种鲜花。天黑了，我就躺在地上睡觉。第二天清晨醒来后，我看见树林边的小溪旁有一个老人坐在那儿，相貌威严，穿着树叶做的裤子。我想："这个老人也许也是乘船失事的。"

我走过去问候他。他不说话，只是打着手势，要我背他到另一条河边去。我想："做好事善有善报。"于是我把他背起来，带他去他要去的地方。

到了目的地，他不但不下来，反而用两条腿紧紧地夹住我的脖子。我一看，他的两只脚粗壮得像水牛蹄子，他夹得太紧，我摔不掉他，最后我连气都喘不过来，眼睛一花，倒在地上，便人事不知。他把我当俘虏看待，终日骑在我的脖子上。

我十分后悔当初可怜他。

我疲劳、痛苦到了极点，暗自叹道："我善待他，他却虐待我。我发誓我再也不做好事了。"

我不堪虐待，只想死去。

有一天，我背他到南瓜地里去。我挑了个最大的南瓜，在上面挖个洞，去掉瓜瓤，又摘了些葡萄装在里面，把洞口封上，放在太阳光下晒了几天，酿成了自制的葡萄酒，每天喝几口，借酒消愁。有一天，我在喝酒的时候，他看我一脸兴奋的神情，打了个手势，要我把酒给他喝。我顺从他的意愿，只得把酒递给他。他一口气喝完了剩余的葡萄酒。不久，就酩酊大醉，昏迷过去了。于是我趁机扯开他紧夹在我脖子上的那两条粗腿，把他摔在地上。

我怕他醒来后伤害我，就找来一块大石头，照准他的脑袋一砸，顿时他脑浆四溅，一命呜呼。从那以后，我独自生活在荒岛上，等候船只经过。

过了很久，有一天，我终于看见有一只船向这个岛驶来，停在海边，旅客们纷纷登陆上岸，我立刻被他们围住了。我对他们讲了自己的遭遇，他们觉得不可思议，说道："骑在你脖子上的那个老头儿叫海老人，被他骑着的人，谁也活不成。你算是幸运至极。"

于是他们带我同行。我们的小船航行了几昼夜，来到一座名叫猴子城的城市。据说每当夜晚来临，城里的人都要离开自己的家，乘船到海上去过夜，怕猴子下山来抢劫。我很好奇，想进城去看看。等我游玩归来，发现船已经开走了。我很伤心，一个人坐在海边哭起来。这时一个本地人收留了我，并邀请我和他一起到海上过夜。同时他还教我一个谋生的办法。他送了我一个布口袋，让我跟当地人一起出城捡石头去。他说："你就跟他们学，或许你可以帮助自己回家去。"

我跟着人们一起先到城外，将布口袋装满石头。然后带着一袋石头，来到一个非常宽阔的山谷里。山谷里长满高不可攀的大树，树上群居着无数的猴子。同伴们从口袋里拿出石头，不断地向树上的猴子扔去，树上的猴子们则摘树上的果子还击。我仔细一看猴子扔下来的果子，原来是椰子。

学着伙伴们的办法，我选准一棵爬满猴子的大树，拿出石头，接二连三地投到树上。猴子们便摘树上的椰子扔下来。我口袋里的石头还没扔完，地上已经堆满了椰子。我装满

一口袋椰子，和大家高兴而归。

我每天跟伙伴们背着一口袋石头，去换得猴子扔下的椰子。就这样工作了很长一段时间，我储备了许多椰子，也卖了许多，赚了一大笔钱。有一天我到海滨散步，见到一只商船。我便带着椰子和自己的东西搭他们的船离开了猴子城。

我们的船每到一个地方，我都去卖椰子，赚了不少钱。我带着用椰子换来的许多珍贵物品随船到达巴士拉，稍微逗留几天后，回到巴格达，和家人团聚。

航海家辛巴达讲了第五次航海旅行的经历后，说道："弟兄们，如果你们愿意听，我明天讲我第六次航海旅行，那真是既惊险又有趣！"

第六次航海旅行

弟兄们，你们知道，我第五次航海旅行归来，又终日玩乐，忘了旅途中艰难的遭遇。直到有一天，家里忽然来了一伙客商，显得非常怡然自得。我望着他们，想起往日旅行归来和家人见面时的乐趣，又引起我出去旅行做生意的念头。

我们走过许多城镇和岛屿。我一路上又做生意，又参观，非常快乐！

有一天，大船正平静地航行，船长突然一声狂叫，伤心地大哭起来。他的行为惹得大家很好奇，纷纷围着他问：

"船长，这是怎么一回事？"

075

船长说我们的船已经迷路，走错了航线，我们正在一个不知名的大海上航行。

他说着爬到桅杆上，准备降下风帆。可是飓风呼啸，吹折了风篷，船舵也被波涛打碎了。

大船很快触礁，旅客和货物全部落入海中。

我挣扎着爬上了一个海岛。这座海岛上堆积着很多的破船板和让人毛骨悚然的人体尸骨。这一切证明这个地方经常有船触礁，这些东西都是沉船后被风浪推到岸上的。

我偶然走到最高处，发现岛中有一条湍急的河流，从一座山腰里淌出来，又流向对面的一座山腰里。再仔细看河的两边，竟散布着珠宝、玉石和各种名贵的矿石，岛上还有各种名贵的沉香和龙涎香。海岛上只有我一个人。就在我后悔自责中，我突然想出一个主意："这条河流一定会流向有人烟的地方。我应该造一只我一人坐的小船，顺流而下。或许可以得救。"

我马上动手，收集一些沉香木，把它们整整齐齐摆在河边，从破船中找来绳索捆扎起来，并在上面铺上几块整齐的船板。绑牢后，又找来两块小木板当桨使用，做成一只比河床更窄的小船。我收集了许多珠宝、玉石、钱财和龙涎香，装了满满的一船。

我坐在小船里，顺水漂流了好大一程，便进入山洞中，里面一片漆黑。小船忽而经过宽阔地带，忽而经过狭窄地带，在黑暗中随波逐流。我不知不觉地沉入了梦乡。一觉醒来，眼前明亮的光线晃得我几乎睁不开眼。啊！原来我的船到了一处宽阔的地方，不知被谁系在了河边。

我一看，周围站满了印度人。他们见我醒了，很高兴地和我搭话，并给我拿来吃的，原来他们在这儿做农活儿，看到我睡在这只小船里，便拉住它，系在岸上。我把自己的遭遇从头到尾，详细叙述了一遍。他们听了，说道："我们必须带你去见国王，你自己讲给他听你的故事。"于是他们领我进王宫拜见国王。

见到国王，我把自己的身世和遭遇，又重复叙述了一遍。国王感到十分惊奇，他祝福我。我把带出来的珠宝、玉石和龙涎香拿一部分送给国王，他高兴极了！视我为贵宾。有一天，国王向我打听巴格达的情况。我就把我的国王哈里发的执政方针告诉了他，国王听后很赞赏，他要准备一份礼物，托我带去送给他。

有一天，我听说有生意人准备船只，前往巴士拉的消息，便想和商人们一起回故乡。国王便把我托付给商人，替我准备行李和盘缠，并托我带一份名贵的礼物送给哈里发。于是，我告别国王，随商人们乘船启锚。一路上风平浪静，我们安全地到达了巴士拉。

我在巴士拉停留几天，然后满载财宝回到巴格达。

我先进宫去呈献礼物，然后回到自己家中，和家人团聚。

过了几天，哈里发召我进宫，询问我有关那个国家的详情。于是，我把旅途中的遭遇，如何得救，如何在城中生活的情况，以及受托送礼的经过详细说了一遍。哈里发听了，十分惊奇，因此格外器重我，并让史官把我的事情记录在史书中，留给后人阅读。从此我住在巴格达城中，又过上了那种享乐生活。

航海家辛巴达讲了第六次航海旅行的经过，接着说道："弟兄们！这是我第六次航海旅行的经过，明天我给你们讲第七次航海旅行的情况吧，那更惊险！"

第七次航海旅行

弟兄们，我第六次航海旅行归来，同前几次一样，赚了大钱，又过起了先前豪华奢侈的生活。过了一阵后，我的心又不安起来，一心向往着航海旅行、外出经商。于是我再次打定主意，预备许多货物，带到巴士拉。那里有只载满货物和客商的大船正准备启航。我就搭上那只大船，和商人们一起，又开始了航海旅行。

wǒ men xíng chuán
我们行船

shùn lì　　yì fān fēng shùn de dào dá
顺利，一帆风顺地到达

zhōngguó dì jìng
中国地境。

tū rán jiān jù fēng yíng miàn ér lái　　jiē zhe xià qǐ le
突然间飓风迎面而来，接着下起了

qīng pén dà yǔ　chuán zhǎng lì jí pá shàng wéi gān　　zǐ xì guān chá
倾盆大雨。船长立即爬上桅杆，仔细观察

tiào wàng sì zhōu　rán hòu huí dào cāng li　　duì zhe wǒ men jué wàng de hū
眺望四周，然后回到舱里，对着我们绝望地呼

hǎn　　zāo dà nàn le　　bù hǎo le　　wǒ men de chuán bèi chuī dào hǎi yáng de biān
喊："遭大难了！不好了！我们的船被吹到海洋的边

yán le　　dà jiā kuài kuài qí dǎo
沿了，大家快快祈祷！"

tā gào su wǒ men shuō　　shū zhōng jì zǎi　　fán shì
他告诉我们说，书中记载：凡是

liú luò dào zhè ge dì qū lái de rén　　bì sǐ wú yí　　zhè
流落到这个地区来的人，必死无疑。这

er yǒu wú bǐ páng dà de jīng yú　　tā huì tūn shí diào
儿有无比庞大的鲸鱼，它会吞食掉

suǒ yǒu de chuán zhī　　tā de huà yīn gāng luò
所有的船只。他的话音刚落，

tū rán　　hǎi zhōng chū xiàn le yì
突然，海中出现了一

tiáo jù dà de
条巨大的

jīng
鲸

鱼，吓得我们目瞪口呆。这时，海中又出现两条更大更凶的鲸鱼。我们的船被三条凶猛的大鲸鱼包围、袭击。这时，暴风更猛，波涛汹涌，一个大浪扑来，船被砸得粉碎，人、货全都落在海里。

我抓着一块破船板，伏在上面，任其在水中沉浮。我随风漂流，最后漂流到一处海岸。上去一看，原来是一个大岛。又一次沦落在荒岛上，我四处寻找出路。后来，发现一条大河。我不禁回想起上次乘船遭难的经历。心想："我必须像上次那样给自己做只小船，也许

wǒ hái yǒu jiù
我还有救。"

　　yú shì wǒ lì kè dòng shǒu　zhǎo lái mù tou　nòng lái yì xiē xì zhī hé gāncǎo
于是我立刻动手，找来木头，弄来一些细枝和干草，

cuō chéng suǒ zi　　láo gù de bǎng chéng yì zhī xiǎo chuán　wǒ zuò zài lǐ miàn　shùn
搓成索子，牢固地绑成一只小船。我坐在里面，顺

shuǐ piāo liú　　hòu lái cóng yí gè shān dòng zhōng chuān guò　　chū le dòng　lái dào yí
水漂流，后来从一个山洞中穿过。出了洞，来到一

chù kāi kuò dì dài　　zuì hòu wǒ bèi chōng dào yí zuò jiàn zhù měi lì　　rén yān chóu mì
处开阔地带。最后我被冲到一座建筑美丽、人烟稠密

de dài chéng shì fù jìn　　àn shang de rén jiàn wǒ zài
的大城市附近。岸上的人见我在

chuán shang　bèi jǐ liú chōng zhe xiàng xià piāo　gǎn
船上，被急流冲着向下漂，赶

máng ná chū shéng suǒ hé yú wǎng　dā jiù
忙拿出绳索和渔网，搭救

我到岸上。由于又饿又累，我刚到岸上，便栽倒在地，幸亏他们急忙抢救，我才慢慢苏醒过来。

这时，有个非常慈祥的老人，对我关怀备至。我吃饱喝足之后，那位长者又吩咐收拾一间侧室，给我居住，同时吩咐仆人好生伺候我。过了三天，我基本复元了。第四天，那位长者来看我，对我说："孩子，你康复了！现在你要不要跟我到市场去卖掉你的货物，然后再买别的东西？"

我被他问得莫名其妙，只好默默不语，私下想道："我哪儿来的货物呢？他为什么这么说？"长者又对我说："孩子，跟我到市场去吧。看看如果有人买你的货物，出价合适，就卖掉它；若不卖，就把货物暂且存在我的储藏室里，等涨价时再卖不迟。"

我考虑了一会儿，私下想道："就照他说的去做，先去看看那到底是什么货物吧！"我满怀狐疑地随老伯到市场上去。

到了市场上，只见我乘的那只小船已经被他们拆开，原来造船用的木头都是檀香木，正摆在那里。只见商人们争先恐后地竞相出价买下这些檀香木，价格增加到一千金币之后，就稳住了。长者回头对我说："听着，孩子，目前的行情就是这个价，这样的价格你愿意脱手吗？"

"老伯，请您决定好了。"

"孩子，这些檀香木我多出一百金币，你愿意卖给我吗？"

"好的，就卖给您好了。"

长者立刻叫仆人把檀香木搬回家去，收放在储藏

shì li wǒ péi tā huí
室里。我陪他回

jiā zuò le yí huì er
家坐了一会儿，

tā bǎ jīn bì fù gěi
他把金币付给

wǒ bìng jiè gěi wǒ yí
我，并借给我一

gè qiánxiāng bǎ qiánzhuāng zài lǐ miàn suǒ qǐ lái
个钱箱把钱 装 在里面，锁起来，

yào shi jiāo gěi wǒ bǎoguǎn
钥匙交给我保管。

guò le bù jiǔ zhǎngzhě yòu bǎ nǚ ér jià gěi wǒ wéi qī bìng jǔ xíng le lóng
过了不久，长者又把女儿嫁给我为妻，并举行了隆

zhòng de hūn lǐ wǒ men bǐ cǐ yí jiàn zhōng qíng xiāng qīn xiāng ài cóng cǐ zài
重 的婚礼。我们彼此一见 钟 情，相亲相爱，从此在

yì qǐ guò zhe xìng fú tián mì de shēnghuó
一起过着幸福、甜蜜的生活。

hòu lái lǎo yuè fù bìng shì le wǒ zhèng shì jì chéng tā de
后来老岳父病逝了，我正式继承他的

yí chǎn dāng jiā zuò zhǔ shāng rén men hái xuǎn wǒ jì rèn le
遗产当家作主。商人们还选我继任了

yuè fù de zhí wèi yīn cǐ wǒ jīng
岳父的职位，因此我经

cháng hé chéng li de rén jiànmiàn
常 和城里的人见面

jiāo wǎng shí jiān cháng
交往。时间长

le wǒ biàn fā
了，我便发

现他们的一个秘密：每个月初，他们身上长出两只翅膀，飞起来，在空中遨游，城里只剩妇女儿童。我非常好奇，暗想："下月初，找个人打听打听，也许他们会带我一起去飞翔呢！"

我等啊等，月初到了，我找来一个城里人问道："你能带我跟你们飞上天，再带我回来吗？"他马上拒绝。在我苦苦哀求下，他才勉强同意。我瞒着家人，骑在那人肩上，随他们飞到天空，直冲云霄，可以听见天神赞颂上帝的声音。我陶醉在快乐之中，大声说道："赞美上帝！感谢上帝！"

我刚说完，只见天空闪出万道火焰，差一点儿烧到同伴身上。他们吓得撇下我一走了之，让我一个人留在荒山上。我走投无路，只好在山中徘徊。幸好，过了一会儿，迎面走过来一群人，我发现先前背我遨游天空的那个人也在其中，我向他不断道歉，再三恳求他带我回城。

他提出一个条件，不许我说话。我答应后，他才背起我回家。回家之后，妻子跑出来迎接我，祝我安全归来，并告诉我："你吸取教训吧，这些人是魔鬼邪神的臣民，他们没有信仰。以后你少和他们来往。父亲既已过世，我想你可以卖掉财产，带我回故乡去吧。"

我听从妻子的嘱咐，将财产等陆续卖掉，自己制成一只大船，带着家眷和财宝，离开了那个城市。我们的船在海上航行，途经许多美丽的城市和岛屿，终于一帆风顺地到达巴士拉。

我在巴士拉没有逗留，继续航行，一直回到巴格达我的家乡，亲友、家人久别重逢。屈指一算，我的第七次航海旅行，整整经历了二十七年的时间。现在我突然归来，他们喜出望外，都为我平安归来祈祷祝福。

我将财物收藏起来，诚心诚意地忏悔一番，从此决心不再航海旅行。

航海家辛巴达讲了第七次航海旅行的故事，接着对脚夫辛巴达说："你，陆地上的辛巴达先生，对于我的七次航海的冒险、离奇的遭遇，现在该清楚了吧！"

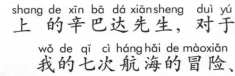

乌木马的故事

王子遇见公主

据说，古代波斯有位伟大的国王。一天，有一位哲人向他献上一匹乌木马，并告诉国王，乌木马能驮它的主人飞向远方。国王不相信，太子自告奋勇想试一试。

太子跨上马以后，马真的驮起他升到高空。他这才惊慌起来，懊悔不该随便试验。他观察马身，发现马的两肩下各有一颗突出的按钮。按右面的按钮，马能飞得更高更快；按左面的按钮，马飞行的速度能逐渐减慢。

飞了一阵，他到了一处从来不曾到过的地方。已是傍晚时分，于是他开始寻找一处安全的地方休息。他发现城中有一座高耸入云的宫殿，便把马降落在了那座宫殿的屋顶。太子直到人们都睡了，这才撇下马，去寻找食物。

他进入宫殿中，找到楼梯，走了下去。突然他看到一个美丽的佳人，被一群婢女簇拥着向他走来。这位美丽的女郎是位公主。她正好带着宫娥彩女们来宫中消遣。他深深地爱上了这位美丽的公主。侍卫们却以为他是魔鬼，吓得去向国王报告。

国王听到消息后立即赶来，为了保护公主，他不顾一切，抽出宝剑，冲进大厅。太子一见，跃身起来，紧握宝剑，大吼一声，威胁着说要用宝剑刺死国王。国王见青年强壮有力，知道自己不是对手，只好忍气吞声，把宝剑插回鞘中。

国王与王子约定于第二天进行比武。

第二天比武开始前，王子知道自己没有什么把握，便抱怨国王的马不好，他希望骑自己在阳台上的马去比武。侍从们遵照国王的命令上了行宫的屋顶，果然发现一匹骏马站在上面，非常雄壮。他们一看，这马居然是用象牙和乌木制造的。他们把乌木马运到比武场，只见太子从容地一跃跨上乌木马，勒转马头，准备冲锋陷阵。

太子骑在马上，做出要比武的样子，但是突然马儿飞入云霄。国王看见太子骑着马儿飞到高空，又惊又怒。宰相和朝臣们也感到莫名其妙。国王只好闷闷不乐地转回宫去。他对公主讲了比武场上的见闻。公主一听太子离开了，心情十分悲伤，竟染上了重病。

太子驾马升空，摆脱了危险，可是他对公主却念念不忘。他曾向国王问起过公主和国王的姓名，知道他是萨乃奥国王，于是他安下心来，一直飞回波斯。到了京城，他降落在王宫，随即下马跑进内宫，拜见国王。见到太子，国王立刻起身，热切地拥抱他。

太子非常想念公主。一天，他又偷偷

来到屋顶，跨上乌木马，去萨乃奥寻找公主。他一直飞到萨乃奥，降落在第一次降落的地方。他跳下马，却不见一个人影。他最终找到公主的卧室，见她卧病不起。激动之下，他不顾一切闯了进去。

公主听见了他的声音，一下坐了起来，又惊又喜。公主愿意跟随着太子回波斯。他们跨上乌木马飞上了天空。回到京城，太子满心欢喜。他想在公主面前显示威风，因此他驾马降落在城外国王的御花园中，让公主在这里等他，他先回到城中安排安排。没有想到，等他满怀喜悦地返回御花园时，却发现公主和乌木马都不翼而飞。

王子找寻公主

原来当公主在园中休息时，那个制造乌木马的哲人正好来御花园采集标本。他发现了公主和那匹乌木马。他对国王非常气愤，于是想起了一个坏主意。他骗公主说自己是太子派来迎接她的。公主便信以为真。

他让公主坐在乌木马的后面，用带子紧紧地绑起来，然后驱动乌木马。他一直飞到希腊境内，降落在一处树木翠绿的平原。这地方距城市不远，恰巧那天希腊国王率领人马围猎到这儿，看见哲人、公主和乌木马，他便派随从逮捕了他们。哲人和公主被一起押到国王面前。国王见哲人相貌丑陋，而公主却又异常美丽，便问："姑娘，你和这个老头子是什么关系？”

“她是我的妻子！”哲人抢着回答。

公主赶紧摇头否认。听了公主的话，国王下令审问哲人，把他押进牢狱，并把乌木马和公主一起带回宫去。公主失踪后，太子非常伤心，决心出去寻找。他一路跋涉，走过许多村庄、城镇，每到一个地方，便探听乌木马的消息。

一天，他终于到了希腊。在一家旅店中，他看见一伙客商聚在一起闲聊，听见他们中有人说："京城传闻有一天，国王率领人马到城郊围猎，在一处树木茂盛的地方，发现一个丑老头子带着一个非常漂亮迷人的女郎，还有一匹精巧、稀奇的乌木马。

"据说那老头儿欺骗国

王，冒充是女郎的丈夫，但谎言被女郎揭穿，结果被痛打一顿，然后监禁起来。至于那位女郎和那匹乌木马的下落，这我就不清楚了。"

次日清晨，太子便赶往京城，觐见国王。国王听了士兵的禀报，问太子："你从哪儿来？叫什么名字？来做什么事？为什么到这儿来？"

"我叫哈勒图，是波斯人。我精通医学，专治各种疑难杂症。"

听了太子的回答，国王感到十分高兴，便把女郎害疯病的情况说了，最后说道："如果你能治好她，你要什么我都可以给你。"

太子想道："我必须先看看马儿。要是马儿完好，那么我的事就成功有望。万一它受到损坏，我就不得不另想办法搭救公主了。"主意打定之后，他就对国王说："陛下，刚才提到的那匹马儿，我打算先去看一看，也许它与治病有关呢。"

太子仔细检查一番，发现马儿毫无损坏，十分高兴。

他对国王说:"现在我该去替女郎治病了。也许我能一举医好她的病。"他建议国王注意保护马儿,然后随国王前往公主养病的地方。

到了室内,太子抬头看见公主。她原来是装疯。公主认清了太子,狂叫一声,晕了过去。

国王以为她是因为害怕自己而晕倒的,因此立刻退了出去。太子趁机悄悄地对公主说道:"你要多多忍耐。我有办法救你出去。"

太子从容地走出病室,对国王说:"陛下,要让她完全康复,不再发病,有一个彻底的办法。请陛下统率文武百官和部队,带着那匹乌木马,到那天陛下打猎碰到他们的地方。我将用法力在那儿收伏妖魔。"

"好极了！就这么办吧。"国王立即发令，抬出乌木马，率领人马，开往郊外。

太子指挥人马列队站在一旁，让乌木马和公主站在国王视线可及的远处。太子跨上乌木马，让公主骑在前面，用布带紧束起来，然后伸手开动按钮，马儿便升腾起来，越飞越高，扬长而去。国王非常气愤，但是也没有办法。

太子带着公主，一直飞到波斯的那座宫殿里降落。国王和王后替太子和公主举行了婚礼。婚后，太子备了厚礼和书信给萨乃奥国王，报告了他和公主结婚的消息。后来波斯国王驾崩，太子做了国王。国家一天天兴旺，他和妻子过着快乐幸福的生活。

阿里巴巴和四十大盗

发现宝藏

很久以前，在波斯的某个城市里住着兄弟俩，哥哥叫戈西姆，弟弟叫阿里巴巴。父亲去世后，他俩分家自立，各谋生路。戈西姆幸运地与一个富商的女儿结了婚，他继承了岳父的产业，很快就成为大富商了。阿里巴巴娶了一个穷苦人家的女儿，每天赶着毛驴去丛林中砍柴，再驮到集市去卖，以此维持生活。

有一天，阿里巴巴赶着三头毛驴，上山砍柴。正准备下山的时候，远处突然出现一股烟尘。靠近以后，他才看清原来是一支马队，正急速向这个方向冲来。他只得把驮着柴的毛驴赶到丛林的小道里，自己爬到一棵大树上躲起来。

原来这是一伙拦路抢劫的强盗，到这里来分赃的。这时，一个首领背负沉重的鞍袋，一直来到一个大石头跟前，喃喃地说道："芝麻，开门吧！"随着那个头目的喊声，大石头前突然出现一扇宽阔的门，于是强盗们鱼贯而入。那个首领走在最后。

首领刚进入洞内，那道大门便自动关上了。阿里巴巴心里害怕，刚准备逃走，山洞的门突然开了，强盗头目首先走出洞来。他站在门前，清点他的喽啰，见人已全部出来了，便开始念咒语，说道："芝麻，关门吧！"洞门便自动关了起来。

阿里巴巴直到他们都走了之后，才从树上下来。他大声喊道："芝麻，开门吧！"他的喊声刚落，洞门立刻打开了。洞里面有无数的金银财宝，原来这是一个强盗们的宝窟。

他只弄了几袋金币，捆在柴里面，用驴子运走。回到家中，阿里巴巴把山中的遭遇和这些金币的来历告诉了老婆。阿里巴巴的老婆听了非常高兴，但是想量一量这些金币到底有多少，于是她去戈西姆家中借量器。

戈西姆的老婆一心想了解阿里

巴巴的老婆借斗量什么，于是她在斗内的底部，刷上一点儿蜜蜡，因为她相信无论量什么，总会粘一点儿在蜜蜡上。阿里巴巴的老婆拿着斗急忙回到家中，立刻开始用斗量起金币来。斗底的蜜蜡上粘上了一枚金币，他们却一点儿也没有察觉。当他们把斗送还嫂子时，戈西姆的老婆马上就发现斗内竟粘着一枚金币，她心想，阿里巴巴这样一个穷光蛋，怎么会用斗去量金币呢？

到晚上戈西姆回家，她立刻把阿里巴巴的老婆前来借斗还斗的经过，以及自己发现粘在斗内的一枚金币等事，说了一遍。戈西姆知道这事后，顿觉惊奇。他整夜辗转不眠，次日天刚亮就急忙起床，前去找阿里巴巴问个究竟。

戈西姆遇害

阿里巴巴被迫把发现强盗们在山洞中收藏财宝

的事，毫无保留地讲给他哥哥听了。戈西姆听了，威胁阿里巴巴说："你必须把你看见的一切告诉我，如果你不肯把这一切全部告诉我，我就上官府告发你。"

　　阿里巴巴在哥哥的威逼下，只好把山洞的所在地和开、关洞门的暗语，一字不漏地讲了一遍。戈西姆仔细听着，把一切细节都牢记在心头。

　　第二天一大早，戈西姆赶着雇来的十匹骡子，来到山中。他按照阿里巴巴的讲述，首先找到阿里巴巴藏身的那棵大树，并顺利地找到了那神秘的洞口。眼前的情景和阿里巴巴所说的差不多,他相信自己已经到达目的地,于是高声喊道:"芝麻,开门吧!"

随着戈西姆的喊声,洞门豁然打开了,戈西姆走进山洞,刚站定,洞门便自动关起来。面对这么多的金银财宝,他激动万分,有些不知所措,只顾得往口袋里装金币,竟忘记了开门的暗语。这一来,他慌了神,一口气喊出属于豆麦谷物的各种名称,唯独"芝麻"

这个名称，他怎么也想不起来了。

这天半夜，强盗们抢劫归来，老远便看见成群的牲口在洞口前，他们感到奇怪：这些牲口怎么到这里来了？进洞以后，首领一剑便结果了戈西姆的性命，并肢解了他的尸体，分别挂在门内两侧，以此警告那些敢来这里的人。

这天晚上，戈西姆没有回家，他老婆预感到事情有些不妙，焦急万分地跑到阿里巴巴家去询问："兄弟，你哥哥从早上出去，到现在还没有回家来。只怕他发生什么不测，若真是这样，那我可怎么办呀？"

阿里巴巴安慰了嫂子一番，然后赶着毛驴，前往山洞而去。一进洞门就看见戈西姆的尸首被分

成几块，分挂在两侧。阿里巴巴非常害怕，但是不得不硬着头皮收拾哥哥的尸首，用毛驴驮运了回去。回到戈西姆家，戈西姆的女仆马尔基娜前来开门，让阿里巴巴把毛驴赶进庭院。

阿里巴巴因为哥哥的死感到很伤心，但是他也很谨慎。他跟女仆马尔基娜商量哥哥的后事，做完这一切后，才牵着毛驴回家了。阿里巴巴一走，马尔基娜立刻来到一家药店，装出若无其事的样子，跟老板交谈起来，打听给垂死的病人吃什么药才有效。

就在马尔基娜买药的同时，阿里巴巴也做好了一切准备。他待在家中，耐心地等待着戈西姆家发出哭泣的声音，以便装着悲痛的样子去帮忙处理丧事。

第三天一大早，马尔基娜便戴上面纱，去找高明的老裁缝巴巴穆司塔。她给了裁缝一枚金币，说道："你愿意用一块布蒙住眼睛，然后跟我上我家去一趟吗？"

裁缝是一个财迷，见到金币，立即答应了这个要求。他拿手巾蒙住自己的眼睛，让马尔基娜牵着他，走进了停放戈西姆尸体的那间黑房，把破碎的尸体缝合好。

在阿里巴巴的协助下，马尔基娜把戈西姆的尸体装殓起来，把埋葬前应做的事都准备妥当，然后去清真寺，向教长报丧，请他给死者祷告。由于马尔基娜和阿里巴巴善于应付，考虑周全，所以戈西姆死亡的真相，除他二人和戈西姆的老婆之外，其余的人都不知底细。

聪明的女仆

这一天，强盗们照例返回洞中，发现戈西姆的尸首已不在洞中。他们感到非常诧异。匪徒们经过周密地计划，决定派一个机警的人，伪装成外地商人，到城中去探听，最近谁家死了人，住在什么地方。这样就找到了线索，也就能找到他们所要捉拿的人。

一个匪徒自告奋勇地向首领请命。这个匪徒化好装，当天夜里就溜到城里去了。通过那个裁缝，匪徒找到戈西姆的家后，用白粉笔在大门上画了一个记号，免得下次来报复时找错了门。他们走后，马尔基娜外出办事，刚跨出大门，便看见了门上的那个白色记号，不禁大吃一惊。她沉思了一会儿，用粉笔在所有邻居的大门上画上了同样的记号。

匪徒回到山中，向匪首和伙伴们报告了寻找线索的经过。首领和其他匪徒听到消息后，便溜到城中，要对盗窃财物的人进行报复。

首领发现每家的大门上都画着同样的记号，觉得奇怪，问道："这里的房屋，每家的大门上都有同样的记号，你所说的到底是哪家呢？"

带路的匪徒顿时糊涂起来，不知所措。匪徒们乘兴而来，败兴而归地返回山洞后，首领非常生气，就命令手下把那个匪徒杀了，并说："你们中谁再愿到城中去打探消息？如能把盗窃财物的人抓到，我就加倍赏赐他。"

听了匪首的话，又有一个匪徒自告奋勇。这个匪徒也用金币买通裁缝，利用他找到了阿里巴巴的家，在阿里巴巴屋子的门柱上，他用红粉笔画了一个记号。马尔基娜发现门柱上又有个红色记号，便又在邻近人家的门柱上也画了同样的记号。

匪首派的第二个匪徒很快完成了任务，但情况却与第一次一样。当匪徒们进城去报复时，发现附近每

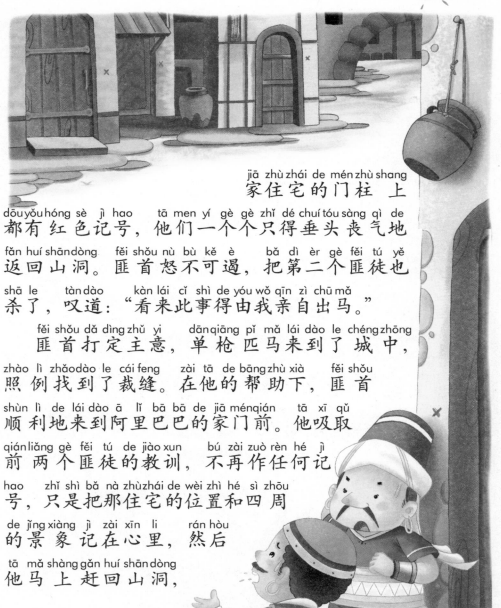

家住宅的门柱 上
jiā zhù zhái de mén zhù shang

都有红色记号，他们一个个只得垂头丧气地
dōu yǒu hóng sè jì hao　tā men yí gè gè zhǐ dé chuí tóu sàng qì de

返回山洞。匪首怒不可遏，把第二个匪徒也
fǎn huí shān dòng　fěi shǒu nù bù kě è　bǎ dì èr gè fěi tú yě

杀了，叹道："看来此事得由我亲自出马。"
shā le　tàn dào　kàn lái cǐ shì de yóu wǒ qīn zì chū mǎ

匪首打定主意，单枪匹马来到了城中，
fěi shǒu dǎ dìng zhǔ yi　dān qiāng pǐ mǎ lái dào le chéng zhōng

照例找到了裁缝。在他的帮助下，匪首
zhào lì zhǎo dào le cái feng　zài tā de bāng zhù xià　fěi shǒu

顺利地来到阿里巴巴的家门前。他吸取
shùn lì de lái dào ā lǐ bā bā de jiā mén qián　tā xī qǔ

前两个匪徒的教训，不再作任何记
qián liǎng gè fěi tú de jiào xun　bú zài zuò rèn hé jì

号，只是把那住宅的位置和四周
hao　zhǐ shì bǎ nà zhù zhái de wèi zhì hé sì zhōu

的景象记在心里，然后
de jǐng xiàng jì zài xīn li　rán hòu

他马上赶回山洞，
tā mǎ shàng gǎn huí shān dòng

对匪徒们说："那个地点我已铭刻在心里，下次去找就很容易了。现在你们去买十九匹骡子和三十八个大小一致的瓦瓮。再把这些瓮绑在骡子上，每骡驮两瓮。我扮成卖油商人，趁天黑时到那个坏蛋的家门前，求他容我在他家暂住一宿。然后，到晚上我们一起动手，结果了他的性命。"

他提出的方案得到了匪徒们的拥护，他们在匪首的指挥下，拿菜油灌满一个大瓮，全副武装的匪徒分别潜伏在三十七个瓮中，用十九匹骡子驮运。匪首扮成商人，赶着骡子，大模大样地运油进城，趁天黑时赶到了阿里巴巴的家门外。

阿里巴巴一时竟没有分辨出来，因而同意了匪首的请求，为他安排了一间空闲的柴房，作堆放货物和关牲口之用，并吩咐女仆马尔基娜好好儿招待他。

晚上马尔基娜正在收拾的时候，油灯灭了，一时又没油可添，仆人阿卜杜拉看着马尔基娜为难的样子，便提醒道："不必为难，柴房中有菜油呀！为何不取些来用？"

马尔基娜拿着油壶去柴房中，见到成排的油瓮。她来到第一个瓦瓮前，这时躲在瓮中的匪徒听到脚步声，以为是匪首来叫他们，便轻声问道："是行动的时候了吗？"

马尔基娜突然听见瓦瓮中的说话声，吓得倒退一步，但她本是一个机智勇敢的人，当即

应道："还不到时候呢。"她暗想道："原来这些瓮中装的不是菜油，而是人。"她挨到第二个瓮前，仍然压低嗓音，把"现在还不到时候呢"这句话重说了一遍。

她来到最后一个瓮前，发现这个瓮里装的是菜油，便灌了一壶，拿到厨房，给灯添上油，然后再回到柴房中，从那个瓮中舀了一大锅油，架起柴火，把油烧开，这才拿到柴房中，依次给每瓮里浇进一瓢沸油。潜伏在瓮中的匪徒还不知是怎么回事，就一个个被烫死了。

大约过了一个小时，匪首从梦中突然醒来，他打开窗户，见室外一片黑暗，寂静无声，便拍手发出了暗号，叫匪徒们立即出来行动。但四周却毫无动静。过了一会儿，他再次拍手，并出声呼唤，仍无回音。他走到油瓮前闻到油味，才明白原来手下都已经死了。他不敢再回到卧室，只得逃之夭夭。

匪首落网

却说匪首从阿里巴巴家狼狈地逃跑后，回到了山洞，想着损失的财物和人马，他认为只有杀掉阿里巴巴，才能解除心头之恨，他决心再进城去，寻找机会收拾掉阿里巴巴。

他在集市上租了间铺子，从山洞中搬来上好的货物，装模作样做起生意来。说来凑巧，匪首的铺子对面，正是阿里巴巴的侄子的铺子。匪首待人接物既大方又谦恭，很快就跟附近各商号的老板们混熟了，尤其对戈西姆的儿子格外亲热。过了一些日子，阿里巴巴的侄子想邀请他吃顿饭，于是他便去请教他的叔父阿里巴巴。

阿里巴巴对侄子说："你的想法是对的，应该请那位朋友来做客。我会吩咐马尔基娜预备一桌丰盛

116

的筵席款待你们，你不用操心，一切由我办理好了。"

等匪首一进他们家，马尔基娜立刻认出他的本来面目，虽然他的衣着已装扮成外地商人的模样。马尔基娜仔细打量，发现他衣服下面藏着一把短剑。"原来如此啊！"她忍不住暗自嘀咕，"这个恶棍目的在寻找机会谋害我的主人。"

马尔基娜拿出一张白桌布铺在桌上，端上饭菜，趁主人陪客人吃喝之际，从客厅回到厨房，仔细考虑对付匪首的办法。阿里巴巴和匪首吃得都很开心，马尔基娜便忙着收拾杯盘碗盏，并端出点心待客。一切布置妥当，马尔基娜才退下，好像吃饭去了。

这时候，匪首觉得机会到了，顿时高兴起来，暗中想道："这是报仇雪恨的好机会。"

忠实可靠的马尔基娜换上一身舞衣似的服装，吩咐仆人阿卜杜拉："带上手鼓，咱俩一块儿上客厅去，为尊敬的老爷和客人表演吧。"阿卜杜拉听从马尔基娜的安排，果然带上手鼓，跟她来到客厅。阿卜杜拉把手鼓一敲，马尔基娜便翩翩起舞。阿里巴巴很感兴趣，任他俩随意发挥，并吩咐道："你们最好能表演一些更精彩的节目，让客人高兴愉快。"

在主人的鼓励和客人的赞赏下，他们二人兴致勃勃，劲头越来越大。正当他们看得出神的时候，马尔基娜突然抽出一把匕首，捏在手里，从这边旋转到另一边，做出优美的姿势。这时候，她把锐利的匕首紧贴在胸前。趁着匕首看着出神，马尔基娜鼓足勇气，刹那间，把匕首对准他的心窝，猛刺进去，立刻结果了他的性命。

阿里巴巴吓了一跳。马尔基娜告诉阿里巴巴他正是那贩油商人，也就是那伙强盗的头子。阿里巴巴惊奇万分，非常感谢马尔基娜，重重地赏赐她。阿里巴巴根除了隐患，从此过着富足的生活。

洗染匠和理发匠

古代的亚历山大城中有两个手艺人，一个是洗染匠艾皮·勾，另一个是理发师艾皮·绥。他俩是邻居。染匠艾皮·勾为人狡诈，臭名远扬。因此，他的生意清淡，无法维持生活。理发师艾皮·绥为人忠厚老实，但是由于社会不安定，生意也很萧条。他们决心离开亚历山大城，到外地做生意。他们约定要互相帮助。

洗染匠开染坊

到了一个城市以后，艾皮·绥每天到市上去剃头赚钱，非常辛苦。艾皮·勾呢，却好吃懒做，躺在床上什么事都不干。每当艾皮·绥劝他："起来，出去逛逛，看看美丽的风光。"他总是说："原谅我，我头晕。"说完就睡。艾皮·绥不管他，任劳任怨地做活赚钱。这样过了四十天。

第四十一天，艾皮·绥病倒了。在他生病的这些天里，艾皮·勾仍然吃饱就睡。看到艾皮·绥的病越来越重，艾皮·勾便偷了艾皮·绥的钱，逃之夭夭。

艾皮·勾偷偷地跑到外地的一个城市。他发现这里的人们的穿着除了蓝白二色外，就没有别的颜色了。他走到一家洗染坊门前，看见里面染的布料全是蓝色、白色。艾

皮·勾求见国王，希望能为国王染各种颜色的布料。在国王的支持下，艾皮·勾开起了染坊。染坊门庭若市，顾客纷至沓来。艾皮·勾把染好的布帛送给国王过目。国王见了鲜艳夺目的各种颜色，欢喜异常，加倍赏赐艾皮·勾。从此，他声名大噪，人们称他的染坊为"皇家染坊"。

艾皮·勾名利双收，一跃成为本城的名人。

艾皮·勾偷了艾皮·绥的钱逃走后，艾皮·绥在房中昏迷不醒，躺了整整三天。门房从他房前经过，见房门锁着，也没在意。到了第三天，门房还不见他们回来，有些诧异，想道："难道他们不付店钱就走了？莫非发生什么意外了？"

他走到门前，听见锁着的房门中，传来一阵呻吟声。他开了门进去，见理发师卧病在床，情形很可怜。艾皮·绥请求门房说："我一直叫喊，却没有人应声。

兄弟，我快饿死了，请从我枕头下面的钱袋中取两块半钱，给我买点儿吃的吧！"

门房从枕头下面取出钱袋，一看，里面什么都没有。他对艾皮·绥说："钱袋里一文钱也没有呀！"

艾皮·绥知道钱被偷了，问道："你见到我的伙伴没有？"

"没有！三天不见他了。我还以为你们都走了。"

"哦！肯定是那家伙贪财，他趁我病倒，偷了我的钱。"艾皮·绥边说边伤心地哭泣起来。门房安慰他，拿自己的钱买饮食供他吃喝，并热心地服侍他。

理发匠开澡堂

经过两个月的调养，艾皮·绥的健康才逐渐恢复。理发师艾皮·绥病愈后就上路了。过了一段时间后，正巧也到了艾皮·勾到的城市。他在大街上闲逛，无意间来到艾皮·勾的染坊门前，见各种颜色的布帛挂在门前，人们挤得水泄不通，他便向一个本地人打听，问道："这是干什么呢？大家为什么挤在这儿？"

"这是皇家染坊，是国王帮助外乡人艾皮·勾建的。"那个本地人滔滔不绝，把艾皮·勾办染坊的经过，从头到尾地讲了一遍。

艾皮·绥听了，心想："原谅他吧，

123

也许他忙着洗染，才忘了我呢。"

艾皮·绥以为艾皮·勾见了他，一定会拥抱问候他，

可是事与愿违，艾皮·勾竟一下子板起面孔，喝道："讨

厌鬼！我不是早已警告过你，别到我柜台前来吗？你这个

强盗！难道你要我当众揭你的底吗？把他抓起来！"

奴仆们遵从命令，把艾皮·绥摔倒在地。艾皮·勾

挥动拐杖，一口气打了艾皮·绥一百下，又大声骂道：

"你敢再到我的染坊来，我会让国王处死你。"

艾皮·绥受尽凌辱，伤心透顶，

在悲痛中走出染坊。在场

的人感到奇怪，向艾

皮·勾打听情

况，问道：

"这人到

底是

zuò shén me de
做什么的？"

tā shì gè xiǎo tōu duō cì tōu guo wǒ rǎn fáng zhōng de bù bó
"他是个小偷，多次偷过我染坊 中 的布帛。"

tīng le ài pí gōu de jiě shì rén men fēn fēn zhòu mà ài pí suí
听了艾皮·勾的解释，人们纷纷咒骂艾皮·绥。

ài pí suí yí bù yì guǎi huí dào lǚ diàn xiǎng zhe ài pí gōu rú cǐ
艾皮·绥一步一拐，回到旅店，想着艾皮·勾如此

cán kù wú qíng de duì dài tā yuè xiǎng yuè fèn nù tā duǒ zài diàn zhōng zhí dào
残酷无情地对待他，越想越愤怒。他躲在店 中 直到

yǎng hǎo shāng zhè cái chū mén dào jiē shang zhǎo zǎo táng xǐ zǎo tā fā xiàn běn dì
养好伤，这才出门，到街上 找澡堂洗澡。他发现本地

rén dōu bù zhī dào zǎo táng shì shén me yú shì biàn shàng wáng gōng qù qiú jiàn guó wáng
人都不知道澡堂是什么，于是便上 王 宫去求见国王，

xī wàng néng wèi zhè ge chéng shì kāi shè yí chù zǎo táng guó wáng dā ying le tā de
希望 能为这个城市开设一处澡堂。国王答应了他的

qǐng qiú bìng pài le jiàn zhù shī gěi tā bāng máng
请求，并派了建筑师给他帮忙。

ài pí suí hé jiàn zhù shī zài chéng zhōng chá kàn xuǎn zhòng
艾皮·绥和建筑师在城 中 察看，选 中

le yí chù hé shì de dì fang jīng tā zhǐ shì jiàn zhù shī yī yàng
了一处合适的地方。经他指示，建筑师依样

很快建成一幢宏伟壮观的澡堂，并照他的意愿，把澡堂装饰得金碧辉煌。澡堂开业头三天免费招待大家。顾客们进进出出，生意非常兴隆。

艾皮·绥善良和蔼。去洗澡的人，无论贫富，他都一视同仁。他不仅赚了钱，还结识了很多朋友。每逢礼拜五，国王都上澡堂去洗一次澡，付他一千金币。其余的日子，让官吏和老百姓去洗。艾皮·绥尽心尽职，总让顾客满意而归。

有一天，御船的船长也来澡堂洗澡。艾皮·绥亲自服侍，对他非常友善。船长受到优待，对他印象颇佳。这段时间，艾皮·勾经常听到人们议论澡堂。人们总是说："澡堂是人间最大的享受。明天咱们一起上澡堂洗澡去吧。"

洗染匠陷害理发匠

听了这些谈论，艾皮·勾心想："我就不信。我倒要

去看看那迷人的澡堂是什么样子的。"于是带着疑惑他
走进了澡堂。

艾皮·绥看见来的是艾皮·勾时，仍然尽心伺候，替他擦背、冲洗。他对朋友如此谦恭，使得顾客们大为惊讶。临走，艾皮·勾要给洗澡费，他坚决不收。

但是艾皮·勾却不安好心，出了个主意，"兄弟！你这澡堂美极了！可还美中不足呢。你如果拿砒霜和石

huī pèi zhì yào jì　　　nà kě shì zuì hǎo de bá máo jì　　děng guó wáng lái xǐ zǎo shí
灰配制药剂，那可是最好的拔毛剂。等国王来洗澡时

xiàn gěi tā　　guó wáng dé dào nà yàng de xiǎng shòu　　duì nǐ jiāng gèng jiā ài hù hé
献给他。国王得到那样的享受，对你将更加爱护和

zūn jìng
尊敬。"

　　　ài pí　　gōu chū le zǎo táng hòu　　jìng zhí qián wǎng
　　艾皮·勾出了澡堂后，径直前往

wáng gōng jìn jiàn guó wáng　　tā xiàng guó wáng jìn chán
王宫觐见国王。他向国王进谗

yán shuō　　zǎo táng de zhǔ rén xiǎng dú hài nín
言说："澡堂的主人想毒害您。

tā pèi yǒu yì zhǒng dú yào　　yǒu jī
他配有一种毒药，有机

huì shí tā huì duì nín shuō
会时他会对您说，

bǎ tā tú zài yè xià
'把它涂在腋下，

tā shì zuì líng yàn
它是最灵验

de bá máo jì
的拔毛剂。'

qí shí nà zhǐ shì
其实那只是

yì zhǒng zhì mìng
一种致命

de dú yào
的毒药。"

guó　　wáng
国　　王

听了艾皮·勾的谗言，非常生气，打算亲自去探个究竟。国王来到澡堂，艾皮·绥一如既往，殷勤招待，亲自替国王擦背、冲洗，然后说："启禀陛下，奴仆配了一种拔毛药，专供陛下洗完澡后拔腋毛用的。"

"好啊，给我拿来吧。"

艾皮·绥忠厚地把拔毛药献上，国王闻到药中的砒霜气味，认为是毒药，气冲冲地吩咐侍从："快把他给我逮起来！"侍从逮捕了艾皮·绥。国王怒气未消，又传来御船船长，让他把艾皮·绥装进麻袋抛到海里。

船长却带着艾皮·绥来到一个小岛上，对他说："我上你的澡堂去洗过一次澡，蒙你对我殷勤备至。这次我要搭救你，你现在和我一起住在这个岛上，等候合适的船只，再送你回家乡。"他给了艾皮·绥一张网，吩咐道："你拿这张网打鱼吧。我负责打鱼供国王食用，但今天为了你的事，我没有工夫打鱼。"

船长把装着石灰和石头假充艾皮·勾的麻袋搬到小船上，划到宫殿附近，见国王坐在上面，他高声问道："陛下！我可以行动了吗？"国王举起戴着宝石戒指的右手一挥，不料一道金光划过，他的宝石戒指不小心掉进了海中。他的宝石戒指具有统率三军的权威，要是失落戒指的消息传开，军队就会反叛，他也会遭杀身之祸，因而他只好不吭气。

艾皮·绥按照船长的吩咐，在海中撒网打鱼，一会儿就打到满满一网鱼。

他挑了一尾又大又肥的鱼，想等船长回来一起吃。等他剖开鱼腹，发现鱼肚里有个闪闪发亮的东西，原来是个宝石戒指，便拿出来，戴在右手的小拇指上。这正是国王失落的那枚宝石戒指。

理发匠好人好报

船长交差之后，回到岛上看见艾皮·绥手上戴着一个宝石戒指，不禁大吃一惊。他告诉艾皮·绥这枚戒指是国王失落的戒指，具有统辖三军的威力，因为它被施过魔法。

"那么请你带我进城去吧！"艾皮·绥十分兴奋地说。

船长满足了艾皮·绥的请求，高兴地划着船送他进城。回到城中，艾皮·绥进宫求见，并把戒指还给了国王。国王收下戒指，戴在手上，感激地说："你真是一位正人君子！这个戒指如果落在别人手里，那可很难再回到我的手里来了。"艾皮·绥对国王说：

"陛下，我请求您，把您处死我的原因告诉我吧。"

于是国王把艾皮·勾的谗言和盘托出，告诉了艾皮·绥。

"我绝对没有谋害陛下的意思。那个洗染匠，他原是我的伙伴，我们一起出来谋生。"于是艾皮·绥把他跟艾皮·勾的交往经历，从头到尾，详细叙述了一遍。

最后说道："陛下，原本是艾皮·勾他向我

建议配拔毛剂给您使用的，他对我说，'您的澡堂样样都好，只缺少拔毛药，这是美中不足的地方。'现在恳请陛下派人把相关的人都找来，便可还我清白了。"

国王派人找来旅店的门房和染坊的仆役，仔细盘问，了解情况。结果，门房和仆役都证明艾皮·绥讲的都是事实。国王终于知道了艾皮·勾是个小人，理应受到严厉的处罚。国王派人去捉拿艾皮·勾，并吩咐仆役："把他带去游街示众，再把他投到海里淹死。"

事实证明艾皮·绥是个好人，国王非常尊敬他，希望他能够担任宰相，他却不愿意。国王只好赏他更多的财物和婢仆，送他回家。艾皮·绥带着财物和仆人，满载而归，回到家乡亚历山大城。从此后他过着幸福愉快的生活。

阿拉丁和神灯的故事

相传古时候中国的某个城市里，有一户家境贫寒的人家，家中有一个独生子，名叫阿拉丁。阿拉丁生性贪玩，从不学好，是个地地道道的小淘气鬼。

在阿拉丁十岁那年，他父亲就死了。可怜不幸的母亲，起早贪黑，靠纺线谋生度日，养活那不务正业的淘气儿子。就这样一直把他拉扯到十五岁。

魔法师伯父

这一天，一位从非洲来的魔法师找到了阿拉丁，他自称是阿拉丁的伯父，并主动要

bāng ā lā dīng xué xí zuò shēng yi　 ā lā dīng mǔ zǐ dōu fēi cháng gāo xìng
帮 阿拉丁 学习做生意。阿拉丁母子都非常高兴。

　 dì èr tiān qīng chén　 mó fǎ shī zì chēng yào dài ā lā dīng qù yí gè qí miào
第二天清晨，魔法师自称要带阿拉丁去一个奇妙

de dì fang kāi yǎn jiè　　 tā dài zhe ā lā dīng zǒu le hěn yuǎn
的地方开眼界。他带着阿拉丁走了很远

de lù　　 zuì hòu lái dào yí zuò wēi é de gāo shān jiǎo xià
的路，最后来到一座巍峨的高山脚下。

　 mó fǎ shī zài nà ge dì fang rán qǐ le huǒ
魔法师在那个地方燃起了火

yàn　 bìng niàn qǐ le zhòu yǔ　　 jiù zài zhè shí
焰，并念起了咒语。就在这时，

dì miàn yí xià zi liè kāi le　　 cóng nà liè kāi
地面一下子裂开了。从那裂开

de dì fang zhú jiàn xiǎn lù chū yí kuài cháng fāng
的地方逐渐显露出一块长方

xíng de shí bǎn　 zhōng jiān xì zhe yí gè tóng
形的石板，中间系着一个铜

huán　 mó fǎ shī duì ā lā dīng shuō dào
环。魔法师对阿拉丁说道：

　 wǒ de hái zi　 zhè ge shí bǎn xià
"我的孩子。这个石板下，

máicáng zhe yí gè bǎo kù　　 wǒ
埋藏着一个宝库。我

de hái zi　 xiàn zài
的孩子，现在

nǐ tīng hǎo　 nǐ
你听好，你

xiàn zài xià qù
现在下去，

握着石板当中的那个铜环，去把石板揭起来。"

阿拉丁按照指令，走到石板前，伸手握着铜环，不费劲地揭开了。原来石板所盖的是一个地道口，有十二级台阶通向地下。阿拉丁按照魔法师的吩咐，进入地洞，快步走下台阶。进入地道后，他小心翼翼地通过摆满金银财宝的那四间房子，然后来到花园，沿着通道向前，一直进入一间富丽堂皇的大厅。他爬上梯子，取下吊在天花板上的一盏油灯，吹灭并倒掉灯中的油，把它装进胸前的衣袋里，然后走下梯子，退

chū dà tīng　　huí dào huā yuán zhōng
出大厅，回到花园中。

huā yuán li de shù zhī shang jiē mǎn le càn làn de bǎo shí guǒ zi　　zhǐ jiàn nà xiē
花园里的树枝上结满了灿烂的宝石果子。只见那些

bǎo shí guǒ zi gè gè fā chū càn làn yào yǎn de guāng máng　tā zhāi le xǔ duō gè lèi guǒ
宝石果子个个发出灿烂耀眼的光芒。他摘了许多各类果

shí　chú zhuāng mǎn měi gè yī dài wài　hái jiě xià wéi jīn lái bāo　rán hòu chán zài yāo
实，除装满每个衣袋外，还解下围巾来包，然后缠在腰

jiān　ā lā dīng pà zì jǐ chí chí bù guī　huì shòu dào mó fǎ shī bó fù de zé bèi
间。阿拉丁怕自已迟迟不归，会受到魔法师伯父的责备，

biàn bù gǎn zài dòu liú　yú shì tā cōng cōng lí kāi huā yuán　yán zhe jìn lái de lù xiàn
便不敢再逗留。于是他匆匆离开花园，沿着进来的路线，

yì kǒu qì pǎo dào dì dào kǒu　dāng tā zǒu shàng tái jiē　dào dá zuì shàng yì jí shí
一口气跑到地道口。当他走上台阶，到达最上一级时，

fā xiàn zhè yì jí tái jiē bǐ qí yú de dōu gāo　yóu yú shēn shang dài de zhū bǎo guǒ shí
发现这一级台阶比其余的都高。由于身上带的珠宝果实

tài duō　zhǐ shēn yì rén wú fǎ pān yán　yú shì tā shēn chū shǒu lái　duì mó fǎ shī
太多，只身一人无法攀沿，于是他伸出手来，对魔法师

shuō dào　bó fù　lā wǒ yì bǎ　wǒ wú fǎ kuà shàng qù
说道："伯父，拉我一把，我无法跨上去。"

wǒ de hái zi　nǐ xiān bǎ yóu dēng dì gěi wǒ　zhè yàng kě yǐ jiǎn qīng nǐ de
"我的孩子，你先把油灯递给我，这样可以减轻你的

fù dān　wǒ kàn nǐ shēn shang fù hè tǐng chén de　sì hū ná le bù shǎo dōng xi
负担，我看你身上负荷挺沉的，似乎拿了不少东西。"

bù　bó fù　wǒ ná de dōng xi bìng bú zhòng　zhǐ shì zhè ge tái jiē tài gāo
"不，伯父！我拿的东西并不重，只是这个台阶太高

le　nín shēn chū shǒu lái　bāng wǒ yí xià　bǎ wǒ lā chū qu　wǒ zài gěi nǐ yóu
了。您伸出手来，帮我一下，把我拉出去，我再给你油

dēng hǎo le
灯好了。"

魔法师一听这话，顿时心急火燎，面露凶光。

此时，魔法师已被焦急和愤怒弄得失去了理智，以为神灯将要被他人占有，于是他心一横，便把阿拉丁埋在了宝库的地道中。原来这魔法师是一个非洲人，从小就醉心于巫术。有一天，魔法师发现在中国西部的一座叫卡拉斯的山脚下，有一个巨大的宝藏，而宝物中最奇妙的，就是那一盏表面普通的神灯。因为谁拥有了那盏灯，便可成为不可战胜的万能者，无论地位、财富，权力还是各方面都将天下第一。

魔法师根据他的巫术知识，知道那个宝藏只能由当地一个名叫阿拉丁的孩子开启。于是，他找到了阿拉丁，对他施行了骗术。魔法师按照计划做了一切，以为能够获得神灯，成为神灯的主人，没想到在最后关头，却竹篮打水一场空。他失望地返回非洲老家去了。

阿拉丁娶公主

阿拉丁被埋在地道里，大声呼唤魔法师，但是不管他怎么呼喊、哀求，都始终得不到回答。这时候，阿拉丁才逐渐醒悟了，慢慢意识到此人不是自己的伯父。

由于魔法师将宝库中的各道门路全都封起来了，他只得在伸手不见五指的黑暗中摸索着。当然最终毫无结果。他知道生路已经断绝，在恐惧和悲哀中，除了号啕大哭外，没有别的办法。阿拉丁在黑暗中也不知哭了多久，不由自主地搓着自己的手。他无意间擦到了戴在手指上的戒指，瞬间，一个威风凛凛的巨神

chūxiàn zài tā miànqián　bìngyòng hóngliàng de shēng yīn
出现在他面前，并用洪亮的声音

xiàng tā shuō dào　bǐng gào zhǔ rén　nú bì fèng
向他说道："禀告主人，奴婢奉

mìngqián lái tīnghòu fēn fù　nín xū yào wǒ zuò
命前来听候吩咐，您需要我做

shén me
什么？"

yuán lái　zài ā lā dīng zhǔn bèi
原来，在阿拉丁准备

jìn rù
进入

bǎo　kù shí　mó fǎ shī
宝　库时，魔法师

céng　gěi le tā yì méi jiè
曾　给了他一枚戒

zhǐ zuò wéi hù shēn fú　bìng duì
指作为护身符，并对

tā shuō　wú lùn nǐ yù dào shén me wēi xiǎn　zhè ge jiè zhi dōu néng bǎo nǐ
他说："无论你遇到什么危险，这个戒指都能保你

píng ān　néng gěi nǐ dǎnliàng hé yǒng qì　ā lā dīng tīng dào shuō huà
平安，能给你胆量和勇气。"阿拉丁听到说话

shēng　zǐ xì dǎ liang　cái kàn qīng tā miànqián zhàn zhe yí gè kuí
声，仔细打量，才看清他面前站着一个魁

wú de jù shén　tā xià de yí jù huà yě shuō bu chū lái
梧的巨神，他吓得一句话也说不出来。

jù shén jiàn cǐ qíng jǐng　gǎn máng yòu duì tā
巨神见此情景，赶忙又对他

shuō　bú yòng pà　rú jīn wǒ shì nǐ de pú rén le
说："不用怕。如今我是你的仆人了。

我就该听你的命令。"阿拉丁听了巨神的解释，马上勇气十足，高兴地说："我要你把我带到地面上去。"

阿拉丁刚说完这句话，大地突然裂开，他还没明白是怎么回事，自己便已经在地面上了。

他认出了来时走过的道路。他一口气回到城中，径直向家奔去。阿拉丁把他如何跟魔法师来到郊外，如何开启宝库洞口，获得神灯，又如何被害，以及最终逃出苦难的整个过程，细细地讲给母亲听了。靠着神灯的力量，阿拉丁母子俩过上了衣食无忧的生活。

此时的阿拉丁已完全长成一个懂事的大人了。他也开始学着在市场上做生意。

这一天，阿拉丁照常穿得

141

整整齐齐，去市场活动。正好公主将前往澡堂沐浴熏香。大家都传说公主长得特别美丽，阿拉丁很想见一见公主。为了实现自己的想法，他打定主意后，毅然赶到澡堂，躲在澡堂的门后面，耐心等候公主的到来。

公主在奴婢、卫士的簇拥下来到澡堂。她一进大门，便取下面纱。这时候，阿拉丁眼中便出现了一个窈窕活泼的美女，简直就像仙女下凡。

阿拉丁暗自称赞："都说公主美丽，确实名不虚传！"阿拉丁自从见到公主那一刻起，就爱上了公主，他请求母亲去为他求亲。在神灯的帮助下，皇帝欣然收下聘礼，同意把公主许配给阿拉丁。阿拉丁为美丽的公主建造了一幢世界上独一无二的宫殿。

阿拉丁新婚之后，过着甜蜜安定的生活。他每天总要在仆人们的前呼后拥下，去城中巡游，借看热闹消遣的机会做好事，所到之处总是把大量金币撒给街道两旁的人群，用这样的办法广施博济。阿拉丁的声誉越传越远，朝野上下对他的爱戴和信任日益增加。在一般老百姓的心目中，他已成为伟大非凡的人物。

这天，突然从边境传来敌人入侵的消息。皇帝即刻调兵遣将，并让阿拉丁挂帅，率领全副武装的部队，开往前线御敌。阿拉丁统率部队，马不停蹄，日以继夜地奔赴战场。最后大获全胜，夺得很多的战利品。

阿拉丁战胜敌人的捷报传来，全城欢腾。为了庆贺他的凯旋，皇帝发布圣旨，命令全国各城市张灯结彩，欢庆胜利。此时的阿拉丁，名誉、地位已达到无以复加的地步。

智斗魔法师

再说非洲魔法师自从回到故乡后，一直不甘心失败。他还想再去谋取神灯。一天，通过卜算，他意外地发现阿拉丁并没有死，并且成为了神灯的主人。他气得肺都要炸了。为报复阿拉丁夺取神灯，他收拾行装重返中国。

到了阿拉丁所在的京城，魔法师提着一篮油灯，在大街小巷高喊道："谁有旧灯？快拿来换新灯喽！"人们听他这么叫喊，都嘲笑他："这人一定是疯了，不然，怎么会用新灯换旧灯呢？"围着他看热闹的人越聚越多，小孩儿尤其好奇，老是跟在他后面。魔法师却满不在乎地朝前走，终于来到阿拉丁的宫殿前。

公主根本不知道这是魔法师的诡计，毫不犹豫地就把旧灯换了新灯。魔法师见换到了神灯，非常高兴。到了晚上，他便让灯神把阿拉丁的宫殿连同其中的一切，全搬到了非洲。

第二天早晨，皇帝照常起得很早，他打开窗户，却发现皇宫对面的那座金碧辉煌的新宫殿不在了。他异常吃惊。国王下令去捉拿阿拉丁。卫士们把阿拉丁押至宫中。皇帝不问青红皂白，即刻下令将阿拉丁推出斩首。

皇帝要处决阿拉丁的消息刚一传出，人们便从四面八方蜂拥而至。皇帝一方面吩咐刽子手释放阿拉丁，另一方面宣布宽恕阿拉丁。但是皇帝要求阿拉丁在四十天内找到公主。

人们得知阿拉丁受到宽恕，都由衷地为他高兴。可是阿拉丁本人却因为这次打击而深感羞耻和痛苦。这天，他来到一条河边，蹲下去用河水洗脸。他刚捧了水在手中，无意中擦到手指上的戒指，戒指神立刻出现在他面前，说道："我的主人，有什么事要做？请吩咐吧。"

阿拉丁一见戒指神，高兴得跳了起来，大声说道："我要你把我的宫殿和我的妻子，以及宫中所有的一切，都给我搬到这儿来。"

"主人啊！我实在无能为力。因为这是灯神的事情，我不敢去尝试。"

阿拉丁让戒指神把他送到自己的宫殿面前，而他落脚的地点，正对着公主的卧室。公主心情烦闷，到窗前向外张望，正好看见了阿拉丁。阿拉丁快步来到公主面前，夫妻重逢，互相拥抱，高兴得热泪盈眶。公主把事情从头到尾叙述了一遍，尤其把旧灯换新灯的过程讲得更详细。阿拉丁同妻子商量好了一个制服魔法师的方法。

公主按照阿拉丁的嘱咐立刻开始行

动。她打扮得花枝招展，像下凡的仙女一样美丽。这时候，那个非洲魔法师也回来了，于是她便笑容可掬地迎了上去。公主强装笑脸，从容大方地让魔法师坐在自己的身边，亲切地对他说道："事到如今，我决心委身于你，让你代替阿拉丁，做我的终身伴侣。希望你答应我的请求，今天晚上到我这儿来，咱俩一起饮酒作乐。"

公主的一番甜言蜜语，说得魔法师心花怒放，他欣然同意。按照事先的布置，公主倒了一杯有麻醉剂的药酒，递给魔法师。魔法师举起他的酒杯，一口就干了下去。不想酒一下肚，他便头晕眼花，重重地倒在地上，昏迷过去。阿拉丁来到魔法师身边，先从他的衣袋里取出神灯，然后拔出腰刀，一刀便结果了魔法师的性命。接着他命令灯神把宫殿搬到原处。

皇帝自从释放阿拉丁之后，便成天为自己女儿的安危焦心。这天清晨，他照例眺望窗外时，却发现那幢金碧辉煌的宫殿又矗立在那儿了。他简直不能相信自己的眼睛。于是他迫不及待地大声吩咐侍从备马，他要赶快前往阿拉丁的宫殿。阿拉丁见皇帝到来，急忙出门迎接。

阿拉丁搀扶着由于激动而有些站立不稳的岳父走进宫殿。公主听说父王驾临，急忙奔到楼下迎接，父女彼此见面，立即拥抱在一起，喜极而泣。阿拉丁夫妻共同搀扶皇帝，慢步上楼。到了公

150

主房中，皇帝才冷静下来，他关切地询问她的情况和遭遇。

公主向皇帝叙述了她的遭遇。阿拉丁等公主叙述完后，便把他杀死魔法师的事详细地讲了一遍。皇帝听了非常高兴，大摆筵席，热热闹闹地欢庆了一个月。

阿拉丁虽然除掉了作恶多端的非洲魔法师，夺回了妻子和宫殿，但他还没有真正摆脱危险。因为这个被杀的魔法师还有一个比他更坏的哥哥，此人也是一个本领高强的大魔法师。

巧除大魔法师

这天，大魔法师突然心血来潮，想了解远在异乡的弟弟的近况，他取出沙盘占卦，于是知道弟弟死在一个名叫阿拉丁的年轻人手中。非洲大魔法师发誓要替弟弟报仇。经过长途跋涉，他来到了中国。这一天，他来到闹市，听到人们都在议论一个名叫菲图苏的道姑，

shuō tā shéntōngguǎng dà　　dào fǎ gāoshēn　　tā yī shùgāomíng　　qiě lè yì jiù zhù
说她神通广大，道法高深；她医术高明，且乐意救助

nà xiē pín qióng kě lián de rén
那些贫穷可怜的人。

　　　　zhòng rén de chēng zàn ràng dà mó fǎ shī yǒu le zhǔ yi　　tā jué dìngcóngdào gū
　　众人的称赞让大魔法师有了主意。他决定从道姑

shēnshangzhuóshǒu　　lái shí shī zì jǐ de fù chóu jì huà　　　tā zài yí gè wǎnshang
身上着手，来实施自已的复仇计划。他在一个晚上

bǎ dào gū fēi tú sū shā le　　bìngzhuāngbànchéng tā de mú yàng
把道姑菲图苏杀了，并装扮成她的模样。

　　　　cì rì qīngchén　　dà mó fǎ shī lái dào ā lā dīng de gōngdiàn fù jìn　　gōngzhǔ
　　次日清晨，大魔法师来到阿拉丁的宫殿附近。公主

kàndàohòu　　biànràng bì nǚ bǎ chuānzhe dào gū fēi tú sū yī fu de fēi zhōu dà mó
看到后，便让婢女把穿着道姑菲图苏衣服的非洲大魔

fǎ shī qǐng jìn gōngdiàn　　mó fǎ shī wánquán qī piàn le gōngzhǔ　　gōngzhǔ qīn qiè de
法师请进宫殿。魔法师完全欺骗了公主。公主亲切地

wènhòu tā　　　gōngzhǔ dài zhe jiǎ dào gū zài gōngdiàn nèi sì chù yóu lǎn　　jiǎ dào gū
问候他。公主带着假道姑在宫殿内四处游览。假道姑

xiànggōngzhǔ jìn yánshuō　gōngdiàn jǔ shì wú shuāng　měizhōng bù zú hái quēshǎo de
向公主进言说，宫殿举世无双，美中不足还缺少的

是一个神鹰蛋，如果用它来挂在屋顶的正中央，那么真的是举世无双了。

阿拉丁黄昏时候打猎归来，发现妻子面带愁容，问道："亲爱的，发生什么事了？"

"什么事都没发生。"公主回答，"只是在我看来，咱们这幢宫殿还不够尽善尽美。假如在我们屋顶的正中央，挂上一个神鹰蛋，那么咱们的宫殿便可以说是完美无缺了。"

阿拉丁宽慰公主一番，才进入自己的房门，取出神灯一擦，灯神便出现在他面前。他对灯神说："我要你给我找一个神鹰蛋，把它挂在屋顶的正中央。"

灯神听了阿拉丁的要求，大发雷霆，扯开他那洪亮的嗓音吼起来："你这个不知感恩的家伙！竟然要我去取我们天后的蛋来供你夫妇玩耍取乐。不过念你夫妇对此事无知，不知不为过，我可以原谅你们。告诉你，此事的幕后策划者，是那个该死的非洲魔法师的同胞哥哥。他勒死了道姑菲图苏，混到你家中，伺机暗杀你，其目的是要替他弟弟报仇。你的妻子受他挑唆，才让你来向我要神鹰蛋的。"

阿拉丁听了灯神的话之后，想了个计策。他知道菲图苏是以善于治病闻名的，所以他装成头痛的模样去见妻子。公主一听丈夫头痛，便打发婢女去请道姑菲图苏来替他治疗。

非洲

大魔法师几乎不相信事情进展得如此顺利，于是他摆出道姑的举止动作，用左手抚摩阿拉丁的脑袋，假装在替他祈祷治病，同时将右手暗中伸进长袍，拔出藏在腰间的匕首，想趁机杀掉阿拉丁。

阿拉丁早有准备，就在他刚抽出匕首时，阿拉丁迅速扭住大魔法师的手臂，夺过匕首，并一刀扎进大魔法师的心窝，当

场 结果了他的性命。公主看到阿拉丁的动作，吓得大
声 叫了起来。阿拉丁伸手扯下道姑的面纱。公主这才
发现躺在地上的是个陌生的男人，此时才明白了事
情的真相。

　　阿拉丁凭着机智与勇敢战胜了两个劲敌，粉碎了
魔法师兄弟俩的罪恶阴谋，摆脱了危险，从此同公主
开始了他们无忧无虑、快乐幸福的生活。